A MULHER-SEM-CABEÇA
& O HOMEM-DO-MAU-OLHADO

Edição apoiada pela Direção-Geral do Livro,
dos Arquivos e das Bibliotecas / Portugal

GOVERNO DE PORTUGAL — SECRETÁRIO DE ESTADO DA CULTURA

A MULHER-SEM-CABEÇA
& O HOMEM-DO-MAU-OLHADO

GONÇALO M. TAVARES

MITOLOGIAS

PORTO ALEGRE · SÃO PAULO
2019

Copyright © 2017 Gonçalo M. Tavares
Edição publicada mediante acordo com Literarische Agentur Mertin, Inh. Nicole Witt, Frankfurt, Alemanha

CONSELHO EDITORIAL Gustavo Faraon e Rodrigo Rosp
CAPA E PROJETO GRÁFICO Luísa Zardo
PREPARAÇÃO E REVISÃO Rodrigo Rosp
FOTO DO AUTOR Alfredo Cunha

Dados Internacionais de Catalogação na Publicação (CIP)

T231m   Tavares, Gonçalo M.
           A Mulher-sem-Cabeça e o Homem-do-Mau-Olhado / Gonçalo M. Tavares — Porto Alegre : Dublinense, 2019.
           144 p. ; 19 cm.

           ISBN: 978-85-8318-117-0

           1. Literatura Portuguesa. 2. Romances Portugueses. I. Título.

                                        CDD 869.39

Catalogação na fonte: Ginamara de Oliveira Lima (CRB 10/1204)

Todos os direitos desta edição reservados à Editora Dublinense Ltda.

EDITORIAL
Av. Augusto Meyer, 163 sala 605
Auxiliadora • Porto Alegre • RS
contato@dublinense.com.br

COMERCIAL
(11) 4329-2676
(51) 3024-0787
comercial@dublinense.com.br

I

1. **A Mulher-Sem-Cabeça — onde está ela?**

A Mulher-Sem-Cabeça, o Labirinto, o Filho-Mais-Velho-da-Mulher-Sem-Cabeça, o Filho-do-Meio, o Filho-Mais-Novo

1. A Mulher-Sem-Cabeça — onde está ela?

A mãe avança sozinha, já sem cabeça, e procura os seus três filhos. Está no quintal, a cabeça foi cortada e o sangue que vai saindo traça um percurso, um itinerário que será fundamental para os três filhos a encontrarem. Porque a mãe quer encontrar os seus três filhos, mas está já sem cabeça — e assim não é possível.

A mãe sem cabeça corre no quintal e várias galinhas afastam-se, olham para cima e não percebem a forma daquele ser humano.

O quintal é grande e a mulher a quem cortaram a cabeça continua a avançar, passo a passo, como um ser humano a quem tivessem vendado os olhos. Parece a brincadeira infantil — a cabra-cega — mas àquela mulher não taparam os olhos com uma venda, cortaram a cabeça com um machado. Ela avança a chamar pelos filhos (mas por onde grita?) e subitamente percebe: está perdida. A Mulher-Sem-Cabeça está no que é certamente um Labirinto, e nesse Labirinto vai-se cruzando com os mais variados animais: cabras, porcos, galinhas, um cavalo — animais. Dois porcos copulam, mas a Mãe-Sem--Cabeça não vê.

Os três filhos entram no Labirinto e seguem o percurso da mãe através do sangue.

A mãe sabe que o sangue que vai deixando cair é a única maneira de, mais tarde, saber o caminho de regresso. Tem medo de sangrar demasiado, mas sabe que não pode parar de sangrar. Por vezes levanta a mão direita, leva-a ao que sobrou do pescoço, ao sítio de onde lhe arrancaram a cabeça, e recolhe um pouco de sangue, para depois o atirar de tempos a tempos para o chão, de forma a marcar o percurso. O cheiro do sangue é intenso, não será difícil depois voltar.

Mas os três filhos, lá atrás, à medida que chamam pela mãe, vão limpando o sangue do chão. O mais novo dos filhos é o último, é dele a responsabilidade de não deixar o mais leve vestígio do sangue da mãe. É uma vergonha, diz o Filho-Mais-Velho. Vergonha! — repete o do meio.

Chamam pela mãe, mas a mãe não ouve. Está sem cabeça, não consegue ouvir, pelo menos àquela distância. O estranho é que, mesmo sem cabeça, consegue gritar. Lá à frente chama pelos filhos; lá atrás os filhos ouvem algo e seguem o percurso do sangue.

A partir de certo momento a voz da mãe começa a ficar mais nítida. Os três filhos correm. À frente, o mais velho; lá atrás, o mais novo. Subitamente, mãe e filhos encontram-se. A mãe está sem cabeça, e o Filho-Mais--Velho grita, o do meio chora, o mais novo treme.

A mãe, mesmo sem cabeça, tenta acalmá-los. Pergunta-lhes se, no caminho, não viram a sua cabeça.

Eles respondem que não. Mas querem saber como tudo aconteceu.

— Como a cortaram? — pergunta o Filho-Mais-Velho.
— Quem a cortou? — pergunta o Filho-do-Meio.

— Porquê? — pergunta o Filho-Mais-Novo.
A mãe responde:
— Com um machado.
— Foi o pai.
— Porque queria ter mais espaço na cama.

Por momentos os três filhos não reagem, mas depois o Filho-Mais-Velho grita, o do meio chora, o mais novo treme.
Estando nisto, subitamente um forte raio estala por cima do Labirinto; a luz e o ruído são impressionantes.
Todos sentem medo e olham para cima, incluindo a mãe, que roda a parte do pescoço que ainda resta.
A mãe pergunta de novo:
— Viram a minha cabeça?
— Que tamanho tem? — pergunta o mais velho.
— Quanto pesa? — pergunta o do meio.
— Tem os olhos abertos? — pergunta o mais novo.
— Este — diz a mãe, simulando com as mãos acima do seu pescoço o tamanho exacto. — Mais de sete quilos. E sim, tem os olhos abertos. Se a minha cabeça vos vir, vai reconhecer-vos. Por favor, procurem-na — acrescentou ela.
De imediato, os três filhos viram costas e começam a correr à procura da cabeça. O Filho-Mais-Velho corre mais rápido, o do meio corre menos e o mais novo é o que corre mais devagar. O do meio olha para trás e ainda pensa em regressar para junto da mãe, mas, como vê que o seu irmão mais novo o segue, prossegue a corrida.
O mais novo olha para trás e ainda pensa em regressar para junto da mãe, mas, vendo que os dois

irmãos mais velhos continuam a correr à sua frente, prossegue a corrida.

Vamos, vamos!, diz o mais velho, lá à frente. Vamos, vamos, diz o mais novo, lá atrás.

Os três correm três dias e três noites até que, ao quarto dia, no momento em que o sol se levanta, estão em frente à cabeça da mãe, que está no chão, no quintal. Em frente da cabeça da mãe apresentam-se:

— Eu sou o teu Filho-Mais-Velho.

Mas a cabeça da mãe não o reconhece.

— Eu sou o teu Filho-do-Meio.

Mas a cabeça da mãe não o reconhece.

— Eu sou o teu Filho-Mais-Novo.

Mas a cabeça da mãe não o reconhece.

Não são reconhecidos pela cabeça da mãe.

O Filho-Mais-Velho grita, o do meio chora, o mais novo treme.

Mas, depois da tristeza, ficam zangados. O mais velho insulta a cabeça da mãe; o do meio cospe-lhe, o mais novo dá-lhe um pontapé.

Abandonam a cabeça e decidem regressar ao Labirinto para procurar o corpo da mãe sem cabeça, corpo que os reconhecia.

Entram no Labirinto a grande velocidade, mas logo abrandam.

— É por aqui — diz o mais velho.

— Não, é por aqui — diz o do meio, apontando para outro caminho.

— É por aqui — aponta o mais novo para o terceiro caminho.

É impossível saber o caminho exacto. Eles próprios,

por vergonha, haviam limpado o sangue que lhes indicava o percurso da mãe e agora não sabem por onde ir. Não há qualquer vestígio.

Depois de muito discutirem, cada um decide ir pelo seu caminho.

Quem encontrar a Mãe-Sem-Cabeça grita, combinam entre os três. Os outros, depois, irão aproximar-se do grito — e terminaremos todos juntos, disseram.

Assim acertado cada um arranca pelo seu caminho, a grande velocidade, a chamar pela mãe.

O mais velho grita.

O do meio grita.

O mais novo grita.

É o Filho-Mais-Velho quem encontra o corpo da mãe sem cabeça.

Ela apenas consegue murmurar: já perdi muito sangue.

Está a morrer.

O Filho-Mais-Velho levanta-se para gritar, mas no momento certo nada sai. Nem um som. Está mudo.

Ou então finge.

II

1. Mantém-te em pé — a Revolução
2. O grupo avança, cuidado!
3. A Mão-Direita-da-Mulher-Ruiva
4. Não é esta!
5. De novo, a Mão-Direita — e agora a sério!

A Revolução, o Homem-Mais-Alto, o Marido-da-Mulher-Ruiva, a Mulher-Ruiva, os Setecentos-Degraus, a Mão-Direita-da-Mulher-Ruiva, a Bíblia, o Número-Treze, a Amiga-da-Mulher-Ruiva, a Velha-Mãe-da-Amiga-da-Mulher-Ruiva, a Mulher-Negra

1. Mantém-te em pé — a Revolução

Homens, mulheres e crianças avançam em linha recta desde o ponto de partida até ao destino.

Subitamente, de uma carroça saem inúmeros combatentes. É a Revolução, diz alguém.

O chefe é o mais alto dos homens e proclama: "Quem tremer é culpado."

Homens e mulheres percebem. Até as crianças percebem. Não podem tremer.

Mas que fizeram eles?

Homens, mulheres e crianças estão em linha recta, imóveis, entre o ponto de partida e o destino.

A Revolução é isto, sussurra alguém.

— O quê, o quê? — perguntam.

Concentrados, ali estão homens, mulheres e crianças segregando tudo o que podem segregar antes que os invasores se aproximem.

Quem tremer é culpado, diz o marido à mulher.

Quem tremer é culpado, diz a mulher ao seu filho mais velho.

— Por favor, não tremas — pede o irmão mais velho ao mais novo, que ainda não entende qualquer palavra.

Mas eis que os combatentes chegam ao ponto em que já conseguem ver a cor dos olhos de quem não pode tremer.

Todos os habitantes da cidade estão imóveis numa linha recta.

Como quem passa baldes de água de mão em mão para apagar um incêndio que avança numa das extremidades, homens, mulheres e crianças passaram já o aviso antes da aproximação dos combatentes.

O Homem-Mais-Alto avança sem armas acompanhado do homem mais baixo que avança com um machado.

Os dois destacam-se do resto dos combatentes.

— Queremos apanhar os traidores — diz o Homem-Mais-Alto.

E eis que o primeiro ser vivo treme. As suas pernas saem da linha recta. É o marido. Pai dos dois filhos.

O Homem-Mais-Alto não sorri, o homem mais baixo mantém-se sereno.

O primeiro culpado avança.

Deve manter-se de pé. Eis o castigo.

Enquanto se mantivesse de pé a sua família não seria morta. Se dobrasse minimamente as pernas, a sua família seria de imediato assassinada. A mulher, os dois filhos.

O culpado ia começar a prova à frente de todos os seus amigos da cidade, mas a mulher interrompe-o. Sai da linha recta, pede para falar.

Pede ao Homem-Mais-Alto para trocar com o marido. O Homem-Mais-Alto aceita. O marido, primeiro, tem vergonha, porque todos olham para ele, mas depois aceita.

A sua mulher avança. Ocupa o lugar do culpado. Mantém-se imóvel durante alguns minutos, mas depois, estranhamente, as pernas fraquejam, cai. Resiste quinze minutos.

O marido e os filhos são assassinados.
A ela, que tomara o lugar do culpado, poupam-
-lhe a vida.

2. O grupo avança, cuidado!

Mas a Revolução não para. Avança para o centro da cidade. Não lhe basta uma linha recta.
Um mensageiro chega a cavalo e, por entre as ruas da cidade, vai anunciando:
Quem tremer é culpado!
A Revolução entra na cidade. O Homem-Mais--Alto e o seu grupo avançam lentamente, bem atrás do homem que, a cavalo, anuncia o perigo que é alguém tremer.
O grupo armado aproxima-se de dois homens da cidade. Os dois homens concentram-se. Não podem tremer. Que fizeram eles? Não sabem nem querem pensar. O importante ali, agora, é não ser culpado. Concentram-se por completo nos músculos. Não pensam em nada. Concentram-se apenas em ser inocentes e nos músculos. Não tremer, apenas isso — tudo o resto é permitido.
Conseguem. O grupo armado afasta-se.
Um velho atravessa a rua. Primeiro pensa em parar, depois pensa que se parar pode ser pior. Continua, pois, o movimento. Não se trata de permanecer imóvel, o movimento não é prova alguma. Trata-se, sim, de não tremer. Ele move-se, avança, mas não treme. Está firme, sabe para onde vai, não se desconcentra, pensa apenas no ponto de destino, esquece que está a ser observado por dezenas de olhos que querem detectar o mais leve tremor. Mas o homem velho não pensa nisso, é velho,

sabe como reagir aos factos, não os contesta. Se é para não tremer, ele não treme. Avança, ao mesmo ritmo — não abranda. Quer chegar à hora prevista a casa da filha. Ela está a morrer e é ele quem lhe leva os alimentos. Avança e deixa para trás o grupo armado. Não tremeu, o velho não tremeu.

Agora, o grupo está diante de três raparigas, três raparigas, três raparigas. Sete anos, dez anos, doze anos. Uma está a sorrir, a outra também. Só a terceira está com medo.

— Não tenhas medo — avisa a mais nova à mais velha. — Não podes ter medo porque se tens medo, tremes.

O Homem-Mais-Alto dirige o olhar à rapariga mais velha. Percebe que ela tem medo.

Olha-a nos olhos e pergunta-lhe:

— Tens medo?

Ela responde:

— Sim.

O Homem-Mais-Alto e o seu grupo observam atentamente a rapariga mais velha, a única das três que assumiu ter medo e que continua a ter medo, apesar do aviso das suas amigas: não tenhas medo, não tenhas medo.

Mas a rapariga que tem medo não treme, é a rapariga mais nova que treme. Assustou-se. Que lhe vão fazer, a ela que tem medo? Pois é assim: nada fazem à rapariga que tem medo, mas à mais nova, sim, porque foi a mais nova quem tremeu.

E avança já o grupo atrás do Homem-Mais-Alto para dentro de uma casa. Arrombam a porta. Avançam, dão pontapés nos móveis, destroem quadros, sobem as escadas, é lá de cima que vem o ruído. Eis outra porta, arrombam-na.

É a porta do quarto. O marido infiel está ao lado da amante. A sua mulher está onde — como saber?

Os dois amantes são apanhados na cama. Endireitam-se, não tremem.

O Homem-Mais-Alto pergunta que mentira o marido contou à mulher para poder estar ali.

O homem que estava deitado não responde, está firme.

O Homem-Mais-Alto pergunta à amante se conhece a mulher daquele homem.

A amante diz que sim, que a conhece.

— Como é ela? — pergunta o combatente mais alto à amante.

— É ruiva. É a Mulher-Ruiva.

O Homem-Mais-Alto pergunta ao marido: onde está a Mulher-Ruiva?

O homem diz que não sabe.

Nenhum dos amantes treme. Respondem e não tremem.

O Homem-Mais-Alto e o seu grupo saem daquela casa. Vão à procura da Mulher-Ruiva.

Avançam pela rua principal da cidade a perguntar:

— Quem viu a Mulher-Ruiva?

Um homem aponta para a esquerda: Por ali.

Uma mulher aponta para a direita: Por ali, por ali.

Uma criança de seis anos, que não treme porque não percebe nada, diz:

— Vi a Mulher-Ruiva subir para ali. — E aponta para a torre.

A Revolução sobe então a torre.

São muitos degraus. Setecentos-Degraus.

O Homem-Mais-Alto vai à frente, logo a seguir o mais baixo.

A Mulher-Ruiva está lá em cima, no topo, diante de uma janela. O homem a cavalo que anuncia a Revolução passa por baixo da janela:

Quem tremer é culpado, grita.

A Mulher-Ruiva ouve. Está a rezar. Mantém-se a rezar. A frase que ouve entra na oração, mas rapidamente sai. Ela prossegue no ponto exacto onde estava.

O grupo quer matar, ainda não matou o suficiente. A Mulher-Ruiva ali está, agora, à frente deles.

— Deves ter medo, porque estamos aqui para te matar — diz o homem mais baixo que passa por instantes à frente do comandante.

— Não tenho medo — responde a Mulher-Ruiva. E, interrompendo a reza, levanta-se e fica imóvel, quase com ar de desafio diante dos combatentes.

Um dos homens mostra um machado ainda limpo, outro mostra um machado já com sangue.

— Um destes é para ti, escolhe.

— Queres o que está limpo ou o que está sujo?

A Mulher-Ruiva mantém-se firme:

— Não escolho nenhum — diz.

A Mulher-Ruiva está firme, mais firme que o mais corajoso dos inimigos da Revolução.

É então que o Homem-Mais-Alto passa de novo para a frente do grupo. E diz:

— Estivemos há minutos com o teu marido. Estava na cama com uma mulher. É um homem infiel.

A Mulher-Ruiva não pestaneja. Não move um músculo. O rosto impávido, concentrado.

— É um homem infiel — repete o comandante. — Que queres para o seu castigo? Estamos ao teu dispor. A sua cabeça? A sua mão? Um olho?

A Mulher-Ruiva não move um músculo.

— Se não responderes trazemos-te a cabeça, se responderes trazemos-te um olho.

A Mulher-Ruiva tenta não tremer, mas algo no corpo sai do seu controlo; treme um pouco, um ligeiro, um ligeiríssimo tremor.

Mas os homens veem. Os homens estão ali para ver o mais leve dos tremores.

Era a única resposta que poderia salvar o teu marido infiel, disse o Homem-Mais-Alto, antes de pedir aos seus homens a Mão-Direita-da-Mulher-Ruiva.

3. A Mão-Direita-da-Mulher-Ruiva

Dois homens ficam no topo da torre com a tarefa de cortar a Mão-Direita-da-Mulher-Ruiva. Assim o ordenara o comandante.
A mão é posta em cima da mesa, em cima da Bíblia. O pulso começa onde a parte de cima da encadernação da Bíblia termina.
O machado do homem mais fraco cai sobre a Mão-Direita-da-Mulher-Ruiva, mas nada acontece. A mão mantém-se firme.

O homem mais forte afasta o homem mais fraco, troça do que aconteceu e, puxando o mais atrás possível o machado, deixa-o cair com enorme violência sobre o pulso direito da Mulher-Ruiva — mas o machado parte-se e a mão continua intacta.
Os dois homens olham um para o outro assustados. Depois recompõem-se. O homem mais fraco vira a Bíblia ao contrário, com a capa para baixo. Agora o pulso da Mulher-Ruiva começa a tremer.

O homem mais forte pega no machado que resta, o machado do homem mais fraco. E rapidamente desfere o mais vigoroso golpe que consegue. O golpe é tão poderoso que a Bíblia treme em cima da mesa, como se fosse culpada, mas a Mão-Direita-da-Mulher-Ruiva permanece intacta.

Os dois homens recuam. Agora, sim, estão muito assustados. Preparam-se para fugir, mas a Mulher-Ruiva diz:

— Não saiam daqui sem levar a mão direita ao vosso comandante. É impossível distinguir a mão direita de uma Mulher-Ruiva de uma outra mão direita. Não há nenhuma marca. Tenho uma amiga que mora em frente desta torre, ali, no Número-Treze — e aponta pela janela.

Os dois homens descem à pressa os Setecentos-Degraus e, depois de olharem para todos os lados para confirmar que não são vistos, dirigem-se ao Número-Treze e batem à porta.

Lá de dentro a voz da Amiga-da-Mulher-Ruiva pergunta quem é e o que querem.

— Somos dois homens e queremos a tua Mão-Direita.

— Quem vos mandou aqui? — pergunta a Amiga-da-Mulher-Ruiva lá de dentro.

— A Mulher-Ruiva — respondem os dois homens. — Conhece-la?

— Sim, é minha amiga — responde a mulher.

Depois os dois homens repetem:

— Queremos a tua Mão-Direita. E temos pressa.

— Dois minutos para tocar pela última vez com a minha Mão-Direita na cara das pessoas que amo — pede a Amiga-da-Mulher-Ruiva lá de dentro, sem nunca abrir a porta. — Depois ponho a minha mão por este buraco para a poderem cortar.

— Um minuto! — respondem os dois homens cá de fora.

— Um minuto — concorda a mulher.

Dentro de casa, a Amiga-da-Mulher-Ruiva chama a sua Velha-Mãe e diz:

— Querem levar a minha Mão-Direita. Vou enganá-los. Não te mexas e não digas nada.

A Amiga-da-Mulher-Ruiva chama a sua empregada negra e diz-lhe:

— Estão lá fora dois homens com um cesto a dar um presente a quem puser a mão direita de fora da porta. Vai lá por mim e traz-me esse presente.

A Mulher-Negra enfia a mão no buraco da porta e de imediato se escuta um grito, um terrível grito. E, depois, os passos de dois homens em fuga.

4. Não é esta!

— A mão é negra — diz o Homem-Mais-Alto, o chefe dos combatentes, ao ver no cesto a mão que os dois homens lhe trouxeram. — Esta não é a Mão-Direita que eu pedi. Foram enganados ou querem enganar-me. Tragam-me a Mão-Direita-da-Mulher-Ruiva.

Os dois homens regressam à torre, sobem os Setecentos-Degraus e, diante da Mulher-Ruiva, exigem a sua Mão-Direita. Tentam de novo cortá-la, mas não conseguem.
A Mulher-Ruiva diz:
— Não saiam daqui sem levar a Mão-Direita ao vosso comandante. Tenho uma amiga que mora em frente desta torre, ali, no Número-Treze. — E aponta pela janela para a mesma casa. — E agora não se deixem enganar — diz a Mulher-Ruiva.

5. De novo, a Mão-Direita — e agora a sério!

Os dois homens descem de novo à pressa os Setecentos-Degraus e, depois de olharem para todos os lados para confirmar que não são vistos, dirigem-se mais uma vez ao Número-Treze e batem à porta.
Lá de dentro uma voz de mulher pergunta quem é e o que querem.
— Somos dois homens e queremos a tua Mão-Direita.
— Quem vos mandou aqui? — pergunta a mulher lá de dentro.
— A Mulher-Ruiva — respondem os dois homens.
— A minha amiga — diz a mulher.
Depois os dois homens dizem:
— Queremos a tua Mão-Direita. E temos pressa. Já fomos enganados uma vez. Não seremos enganados uma segunda.
— Da outra vez não foi um engano, foi uma distracção — diz a Amiga-da-Mulher-Ruiva. — Dois minutos para tocar pela última vez com a minha Mão-Direita na cara das pessoas que amo — pede a mulher outra vez lá de dentro, sem nunca abrir a porta. — Depois ponho a minha mão por este buraco para a poderem cortar. E poderão ter a certeza de que é mesmo a minha mão.
— Um minuto! — exigem os dois homens cá de fora.
— Um minuto — concorda a mulher.

Dentro de casa, a Amiga-da-Mulher-Ruiva chama a sua empregada negra e pergunta-lhe:

— Querem de novo levar a minha Mão-Direita. Que faço?

— A mão da sua mãe — diz a Mulher-Negra. — Para que lhe serve a Mão-Direita? Já fez tudo o que tinha a fazer com essa mão.

A Amiga-da-Mulher-Ruiva concorda e chama a sua Velha-Mãe.

III

1. **O Homem-do-Mau-Olhado assusta**

C Homem-do-Mau-Olhado, o Número-Treze, a Bíblia, a Amiga-da-Mulher-Ruiva, a Velha-Mãe-da-Amiga-da-Mulher-Ruiva, a Mulher-Negra, o Miúdo-Que-Ajuda

1. O Homem-do-Mau-Olhado assusta

O Homem-do-Mau-Olhado avança pela rua. À sua frente o espaço vai ficando deserto. Todos recuam para dentro de casa.
As mulheres novas sabem que podem perder a fertilidade; os homens, a potência. Não olhes para mim, por favor, eis o que pedem.
Trata-se de brincar ao esconde-esconde, mas este é um jogo com outras consequências. O Homem-do-Mau-Olhado avança quase distraído, como se não fosse poderoso. Qualquer passo que dá é um ataque. E o jogo do esconde-esconde não termina. As jovens mulheres que querem ter filhos escondem-se dentro de casa e nem se arriscam a olhar pela janela; os miúdos querem crescer, não querem ficar assim para sempre, com aquela altura, não se querem transformar em anões. Por isso, quando sentem, ouvem e percebem: fogem para dentro de casa.
O Homem-do-Mau-Olhado roda a cabeça para a direita, não vê ninguém. Roda a cabeça para a esquerda e ali está: um homem que não teve tempo de se esconder. Foi apanhado, foi visto. Estás morto, diriam as crianças. Mas o Homem-do-Mau-Olhado não diz nada. Ou apenas pensa: Vi-te.
— Fui visto — diz o homem ao chegar a casa. Os parentes choram, os filhos choram. A mulher já pensa como irá arranjar outro homem.

Anuncia-se a chegada do Homem-do-Mau-Olhado e, no Número-Treze, começam os preparativos.

Na parede exterior escrevem-se passagens da Bíblia. Esta casa quer resistir à passagem do Homem-do-Mau--Olhado.

A Amiga-da-Mulher-Ruiva, a sua Velha-Mãe e a sua empregada negra começam a escrever, cada uma na sua parede.

A Velha-Mãe é mais lenta, a mão treme. As frases religiosas balançam na parede como se a casa tivesse sido abalada por um tremor de terra. A Amiga-da-Mulher--Ruiva escreve correctamente. Escolhe frases fortes, frases que pensa poderem resistir a qualquer mau-olhado que se atire à casa. Mas se alguém comparasse as frases veria que a Velha-Mãe, apesar de tudo, escolhera melhor, escolhera as frases mais resistentes. No entanto, a sua mão já não é firme, balança. E, sim, escreve com a mão esquerda.

A Mulher-Negra escreve na parede de trás, na parede que todos pensam estar mais protegida do Homem-do--Mau-Olhado. O Homem-do-Mau-Olhado certamente não passará por ali, mas, mesmo assim, a Amiga-da-Mulher-Ruiva quer passagens da Bíblia a proteger esse lado da casa. Mas a Mulher-Negra quer vingança. Introduz erros na cópia, salta linhas, distorce frases com palavras estranhas, de outros mundos. Se esta parede com frases erradas conseguir resistir ao Homem-do-Mau-Olhado, a parede com letra tremida também resistirá. E, sim, a Mulher-Negra também escreve com a mão esquerda.

O Homem-do-Mau-Olhado vem aí. A Amiga-da--Mulher-Ruiva, a Velha-Mãe e a Mulher-Negra fogem para dentro de casa. Fecham as janelas. Enrolam-se sobre si próprias, fecham os olhos. Como crianças, pensam que se fecharem os olhos ninguém as vê.

O Homem-do-Mau-Olhado fixa primeiro a parede exterior da casa em que a Amiga-da-Mulher-Ruiva escreveu as passagens bíblicas. Sente-se mal, o Homem-do-Mau-Olhado. Parece ter fixado um espelho e ter sido atacado por si próprio. Mas não há espelho. São apenas frases. O Homem-do-Mau-Olhado baixa a cabeça, mas não desiste. Não se trata de maldade, ele não quer fazer mal àquela casa, não conhece ninguém ali. Mas ficou curioso. Porquê aquelas frases? Dá a volta à casa e fixa o olhar na parede em que a Velha-Mãe escreveu. Ainda fica mais tonto. Fecha os olhos, ele próprio, o Homem-do-Mau-Olhado, sente-se mal, enjoado, quase vomita, quase desmaia, ninguém o ajuda, claro, quem vai ajudar o Homem-do-Mau-Olhado?

Mas, sim, uma criança viu tudo. Não percebe. Pensa que aquilo é apenas mais um jogo de esconde-esconde. Pensa que a mãe lhe disse para se esconder daquele homem porque aquele homem quer brincar, e a mãe não quer, não quer, não quer.

O miúdo vê, então, um homem que quase cai no chão e aproxima-se; tem dez anos, ajuda-o, pergunta se ele está bem. O Homem-do-Mau-Olhado faz um esforço para não olhar para o miúdo, agradece de cabeça baixa. Depois diz:

— Por favor, afasta-te.

O miúdo que ajuda não percebe. O Mau-Olhado não quer olhar para ele, mas o Miúdo-Que-Ajuda não percebe mesmo nada. Diz para o Homem-do-Mau-Olhado:

— Agora és tu a esconder-te.

O Homem-do-Mau-Olhado concorda, diz que sim com a cabeça, mas os seus olhos são curiosos de uma forma autónoma. Erguem-se um pouco. Quer ver quem o ajuda assim, daquela forma generosa, quando todos se afastam. Quer perceber a quem tem de agradecer e, sim, fixa o miúdo. O Homem-do-Mau-Olhado fixa o miúdo de dez anos que o ajudou.

Agora já não há nada a fazer.

O Homem-do-Mau-Olhado recupera as forças e não desiste. Rodeia a casa da Amiga-da-Mulher-Ruiva e está agora de frente para a parede da Mulher-Negra: ali estão frases desconexas, desacertos grosseiros; nada se entende, nada permanece como no original bíblico. A parede está indefesa; é um sítio por onde tudo pode entrar. O Mau-Olhado fixa-a durante um momento, depois vira-lhe as costas. Prossegue. A coisa está feita. O mau-olhado ficou já na casa. O homem, esse, afasta-se.

IV

1. Primeiras tentativas de voo
2. O Surdo-Mudo cai. O Homem-Mais-Alto olha para cima
3. É preciso acelerar!
4. Uma máquina apenas, para recomeçar
5. A invenção do Cinema

A Revolução, a Máquina-de-Voo, o Surdo-
-Mudo, o Homem-Mais-Alto, um zoólogo
francês, a Casa-das-Máquinas, o Mecânico,
o Cinema, a Mulher-Sem-Cabeça, o Homem-do-Mau-
-Olhado

1. Primeiras tentativas de voo

Para escapar à Revolução, alguns homens decidem construir uma máquina que possa voar.
Uma máquina individual com pedais, manivelas, ar comprimido. O engenho subiria pela força imprimida aos pedais. Voa quem for forte, fica em terra quem for fraco. Mas nem os fortes foram capazes de subir.
Um homem forte pedala com toda a potência, mas só avança, não sobe.

No solo há a Revolução e os homens não param com as suas tentativas para sair dali.

W. O. Ayres: sete hélices, seis para subir, uma para propulsão. Das hélices elevatórias, duas eram accionadas por pedais e as outras quatro por motores de ar comprimido. A hélice e todos os sistemas de controlo eram direccionados por uma manivela.

Havia algo entre a bicicleta e a Máquina-de-Voo. Uma relação, pensava-se.

2. O Surdo-Mudo cai. O Homem-Mais-Alto olha para cima

É um grupo de sete homens que tenta construir uma máquina para escapar do solo.
Escolhem o Surdo-Mudo para a primeira tentativa. Lançam o engenho do alto de setecentos metros. O Surdo-Mudo deve pedalar, deve accionar a manivela para aproveitar a direcção dos ventos, deve pedalar sempre, sem cessar, e aproveitar as asas de pano; a máquina não é perfeita, mas, antes, no solo, o som prometia. O engenho cai, o Surdo-Mudo morre. Ninguém ouve nada senão o barulho de um engenho rudimentar a espatifar-se no chão. Sem o grito humano a Revolução não escuta. Só um pedido de socorro chamaria a maldade para ali.
O campo continua vazio e só para eles, para os agora seis homens.
Tudo tem de ser feito em segredo.
A máquina para voar.

Claro que lá em cima, quando forem bem-sucedidos, o engenho fará os tripulantes da Máquina-de-Voo balançar de um lado para o outro e tal poderá ser confundido com o tremor que a Revolução considera o indício claro de culpa. Mas tremer lá em cima não é tão perigoso como tremer cá em baixo.
Tremer por causa do motor da máquina e não por causa dos homens.

O Homem-Mais-Alto que lidera a Revolução olha para o céu e vê, pela primeira vez, um engenho que voa. Assusta-se, primeiro. Depois envergonha-se.

Lá em cima, um homem pedala para dar força ao engenho e para que as asas de pano que imitam a borboleta mantenham o movimento. Esse homem treme como nunca o Homem-Mais-Alto que lidera a Revolução conseguiu fazer tremer.

A Máquina-de-Voo consegue aumentar a quantidade de culpa que a Revolução vê nos homens.

Falhámos, pensa o Homem-Mais-Alto.

3. É preciso acelerar!

O Homem-Mais-Alto que lidera a Revolução é um gigante. Tem dois metros e trinta e cinco e durante a sua juventude foi mostrado em feiras ao lado de outros homens com características insólitas ou monstruosas.

O gigante que lidera a Revolução tem dificuldade em movimentar-se: os ossos apresentam problemas para suster um corpo tão grande.

Um zoólogo francês, Isidore Geoffroy, fundou a teratologia, ciência que estudava as monstruosidades e as anomalias. Começou a estudar os animais e depois avançou um pouco. As monstruosidades humanas aproximavam-se do que é normal nos animais, eis o que ele pensava.

A acromegalia, provocada por problemas na glândula pituitária, produz o gigantismo. Faces com traços não propriamente disformes, mas algo incertos, como se tremessem — nariz, olhos, sobrancelhas e boca hesitam entre ficar no sítio onde estão e mover-se um pouco, uns milímetros, apenas, para um lado ou para o outro.

O Homem-Mais-Alto que lidera a Revolução tem, portanto, dois metros e trinta e cinco — os outros homens chegam com a cabeça ao seu peito ou ombros. O Homem-Mais-Alto tem vinte anos e irá morrer aos vinte e seis.

A dimensão da sua cabeça é descomunal. As mãos e os pés têm dimensões inacreditáveis. As duas mãos do

Homem-Mais-Alto, juntas, com os dedos abertos, seriam capazes de cobrir uma criança de dois anos.

Todo este peso corporal desequilibra — o peso da cabeça provoca-lhe tonturas, anda com dificuldade, quase nunca se senta porque sentar-se é um esforço enorme, equivale a forçar o corpo a entrar num túnel apertado.

O Homem-Mais-Alto morrerá aos vinte e seis anos. O gigantismo provoca a morte precoce, poucos chegam aos quarenta. Talvez saiba isto, o Homem-Mais-Alto. Tem vinte anos, faz tudo com pressa.

Sabe também que os outros homens querem estudá-lo depois de morto. Tem medo de morrer — vê-se já a ser dissecado, aberto ao meio, do crânio aos pés.

4. Uma máquina apenas, para recomeçar

Liderados pelo Homem-Mais-Alto, os revolucionários chegam à "casa das máquinas da história mundial".
Arrombam a porta com facilidade e estão já no centro da Casa-das-Máquinas.
Primeiro tentam compreender o que se passa. Compreender o espaço. A Casa-das-Máquinas da história mundial, à primeira vista, parece enorme, mas depois percebe-se que não é assim tão grande. Sessenta metros quadrados de máquinas, umas ligadas às outras.
Apenas uma máquina está separada, a um canto, como se fosse insignificante ou muito importante. Que faz ela?
E as outras? Que máquinas fazem o quê?
Ninguém percebe nada.
Chama-se o Mecânico, um homem que já abriu tantas máquinas como os médicos abrem corpos para os salvar. Porém, ali não se trata de medicina, mas de coisa bem distinta.
O Mecânico abre as máquinas e olha para o seu interior.
— Não interrompas nenhum movimento das máquinas — pedem os revolucionários — antes de entendermos que movimento é.
Esta sugestão é de imediato silenciada; o Homem-Mais-Alto que lidera a Revolução ordena:
— Mesmo antes de saberes a sua direcção, interrompe o movimento. É preciso travar.

Mas pouco depois o Mecânico é insultado e empurrado e expulso. Ele quer perceber os mecanismos antes de os inutilizar ou destruir e isso irrita. Não é aceitável.

Expulsam-no para depois espancarem as máquinas, eis a palavra certa. E espancarem como se ali estivessem não mecanismos, chapas metálicas, motores, coisas inertes, mas inimigos, um grupo de outra tribo, com outros hábitos ou mesmo de outra espécie. E os homens destroem a *casa das máquinas da história mundial,* mas não comem as máquinas, como os canibais faziam com os inimigos derrotados e com os prisioneiros. Destroem mas não devoram.

Deixam para o fim a máquina que funciona isoladamente.

Quando os homens se preparam para a destruir, o Homem-Mais-Alto manda-os parar.

— Deixemos esta — diz. — A partir dela recomeçamos.

E os homens saem dali. Contentes porque destruíram, quase por completo, a Casa-das-Máquinas.

5. A invenção do Cinema

Nem todos se juntaram aos esforços daqueles que queriam inventar máquinas capazes de voar.
Alguns (outros) inventaram o Cinema.
No primeiro dia de exibição pública, uma enorme tela no centro da cidade.
A multidão está contente. Pela primeira vez, um filme. É o filme dos irmãos Lumière.
Ao ar livre, as cadeiras estão quase todas ocupadas. A Mulher-Sem-Cabeça tenta entrar. Não deixam.
— É inútil — dizem. — É Cinema. Não conseguirá ver nada.
A Mulher-Sem-Cabeça insiste.
Os homens que inventaram o Cinema falam entre si. É uma invenção para todos. A Mulher-Sem-Cabeça não verá nada, mas trata-se de evitar crueldades desnecessárias. Deixam a Mulher-Sem-Cabeça entrar e ela senta-se na primeira fila, como se quisesse assistir a tudo, bem de perto.
Mas há um outro homem que quer entrar e tem bilhete. É o Homem-do-Mau-Olhado.
Como é que os homens que inventaram o Cinema poderiam estar assim tão pouco atentos? Não o reconheceram; o Homem-do-Mau-Olhado foi sempre com a cabeça baixa, olhando para os pés.
O Homem-do-Mau-Olhado entra porque tem curiosidade. O que é isso de imagens projectadas numa

tela? Imagens que mostram seres humanos em movimento. Ele tem curiosidade, como todos os outros, nada mais.

Senta-se no seu lugar, sempre de cabeça baixa.

Ele sabe bem o que a sua cabeça levantada provocaria. Não quer isso.

Quer só ouvir as reacções do público, as palavras, os gritos.

Mas o filme começa e a curiosidade é muita. Quando a assistência faz barulho, a curiosidade é moderada, mas subitamente a assistência cala-se e aquele silêncio é insuportável: o Homem-do-Mau-Olhado levanta pela primeira vez a cabeça e fixa o olhar na tela. E depois nada. Nada acontece de imediato.

Mas o Homem-do-Mau-Olhado já tinha olhado.

V

1. O Poço e os Cinco-Meninos
2. O Vedor procura, um exército ajuda
3. A Noiva encontra o Cão
4. Cinco-Meninos perdidos num sítio estranho

CPoço, a Revolução, os Cinco-Meninos — Alexandre, Olga, Maria, Tatiana e Anastácia, o Vedor, a Noiva, o Irmão-da-Noiva, a Mãe--da-Noiva, o Cão, a Tabela-Periódica, Mendeleev, o Hidrogénio, o Hélio, o Lítio, o Berílio, o Boro

1. O Poço e os Cinco-Meninos

No fundo do Poço há um tesouro. Todos acreditam nisso. Há um mapa.
Escavam. Primeiro, uma equipa. Depois outra.
Várias camadas, vários túneis e, por vezes, a escavação desce na direcção errada, e a água vem. Os homens fogem para escapar da água que sobe.
Ninguém encontra o tesouro.
Mais tarde, escavam outro poço a cem metros do primeiro. Continuam certos de que encontrarão um tesouro.
Muitas tentativas, ninguém encontra nada.

A Revolução entra no palácio e prende o rei, a sua mulher e os cinco filhos — Alexandre, Olga, Maria, Tatiana e Anastácia.
Todos tremem, todos são mortos. Pelo menos, é isso que parece.
Deitam os corpos para o fundo do Poço. Mas de qual?

2. O Vedor procura, um exército ajuda

Pedem ao Vedor para encontrar os Cinco-Meninos.

Uma pequena vara bifurcada, eis o instrumento deste cientista antigo que quer descobrir Cinco-Meninos que a Revolução atirou para o fundo do Poço e depois tapou.

Já encontrou água até nos terrenos aparentemente mais secos. Mas, por vezes, ao Vedor é pedido que procure ouro, ou Cinco-Meninos.

O Vedor actua com a sua vara bifurcada. Sozinha, a vara abana com a proximidade da água. Porque acontece isto? Impossível saber. As mãos do Vedor são firmes como as de uma estátua, mas a vara não para.

— É aqui, aqui, a água! A cem metros de profundidade. Este Vedor é até capaz de, com a sua vara, descobrir água pela análise de mapas. O mapa de uma certa região é colocado à sua frente e o Vedor passa a sua vara, de forma muito lenta, pelo mapa à escala de um sobre vinte mil. As suas mãos transformam-se em elementos quase imóveis que avançam um centímetro com a consciência de que o avanço de um centímetro sobre o mapa pousado na mesa significa um avanço real de duzentos metros lá fora.

Mas, para encontrar Cinco-Meninos (perdidos, mortos ou já transformados em adultos),

1 — Alexandre,
2 — Olga,
3 — Maria,

4 — Tatiana e
5 — Anastácia,
o Vedor não poderia fazer o trabalho sozinho. Nem utilizar mapas.

Um exército de trinta mil vedores distribuiu-se assim por toda a superfície do terreno, a partir de uma grelha organizada, de forma a que nem um metro de terreno pudesse escapar.

Trinta mil vedores, um exército, sim, organizado, que, com um sistema que divide o espaço em quadrículas, avança à procura dos Cinco-Meninos — que estão perdidos ou mortos.

3. A Noiva encontra o Cão

Sabem que o Mau-Olhado anda por ali, por isso fazem tudo para proteger a Noiva, que é bela e infeliz.
Não basta o véu, que impede que alguém veja a cara da bela Noiva.
Põem a Noiva numa caixa, num esconderijo que se transporta. O grande perigo está na caminhada entre a casa dos pais e o ponto onde vai casar-se.
Mas há famílias que são mais ansiosas. E escondem logo os bebés.

O Irmão decide fingir que é a Noiva. Ele acredita que tem força suficiente para receber o mau-olhado e resistir.
Avança ele na carroça que se diz levar a Noiva. O Irmão vai vestido de mulher, tem a cara tapada. Se alguém quiser atirar o mau-olhado à Noiva, irá atirá-lo, por engano, ao Irmão.
A Noiva vai por outro caminho, com muitas precauções. Vai dentro de uma caixa, num riquexó que pai e mãe transportam com esforço.
Por vezes, a Mãe-da-Noiva não resiste e cai. Acaba por sucumbir, ainda no caminho. Não chegará a ver a filha casar-se. É substituída por um homem, um outro familiar.
A Noiva tem muito medo do Homem-do-Mau--Olhado, ou os pais por ela. Está dentro de uma pequena caixa que está dentro de outra caixa que está dentro

de outra caixa e de outra e de outra. A Noiva respira, mas tem em seu redor sete caixas. O Homem-do-Mau-Olhado não costuma fixar o olhar no rosto ou na nuca das noivas, mas sim nas ancas — e é disso que a Noiva se protege. E sete vestidos leva ela, sete saias, uma sobre a outra. Para impedir que a virgem perca a capacidade de ter filhos.

    Chega sã e salva à primeira noite.
    O marido ali está, frente a ela.
    A primeira das saias é despida.
    A segunda das saias é despida.
    A terceira saia é despida.
    A quarta.
    A quinta.
    A sexta saia é despida.
    Falta uma. O homem saliva como se fosse quase um animal; e a mulher, se não despir a última das saias, poderá tratá-lo como tal até ao fim dos dias — e é isso que ela faz. Não tira a última das sete saias e, a partir daí, o seu marido será tratado como se fosse um cão.

    Come curvado como um cão; e a sua comida é outra — o prato é colocado no chão da cozinha, o Cão dobra-se, a sua mulher acaricia-o. Gosta dele. Aprisiona-o com uma corrente, mas aproxima com os seus pés uma tigela de água; o Cão sacia-se, retribui como pode a generosidade da mulher; dessa mulher que tinha tanto medo do mau-olhado que levava sete saias e ia numa caixa dentro de outra caixa, dentro de outra caixa, dentro de outra caixa; e o véu só foi tirado por uns segundos para ver que a mãe que transportava o riquexó acabara por cair e estava desmaiada ou morta — a filha nunca o saberá.

A Noiva nunca chegou a tirar a sétima saia. Após dois anos de vida em comum, o marido, que nunca mais se pôs na vertical, será castrado como os cães em que não se confia.

Era uma noiva que já não tinha medo nenhum.

4. Cinco-Meninos perdidos num sítio estranho

Os Cinco-Meninos haviam sido destruídos e o exército de trinta mil vedores tem agora de procurar vestígios cada vez mais pequenos.

O sonho de um dos familiares dos meninos é este: trinta mil vedores avançam pela Tabela-Periódica de Mendeleev.

Um vedor impulsivo avança de imediato para o elemento número 101, cujo nome é mendelévio, em homenagem ao cientista.

Mendeleev pensou na Tabela-Periódica devido a um baralho de cartas. Tinha 63 cartas, colocou-as na mesa, e imaginou um elemento em cada uma das cartas. Tratou-se de um jogo de paciência. Um homem sozinho, diante de uma mesa, tenta dispor, numa ordem lógica, de acordo com o peso dos átomos, dezenas de cartas.

Mendeleev morreu de pneumonia em 20 de Janeiro de 1907. Era o director do Gabinete para Pesos e Medidas de São Petersburgo.

O Vedor encontra os Cinco-Meninos:
— Alexandre no elemento 1: H. Hidrogénio.
— Olga no elemento 2: He. Hélio.
— Maria no elemento 3: Li. Lítio.
— Tatiana no elemento 4: Be. Berílio.
— Anastácia no elemento 5: B. Boro.

O Vedor ia avançar para o elemento 6 da Tabela de Mendeleev (C, Carbono), mas parou. Não era necessário.

VI

1. **Muitas pernas, uma grande caminhada**
2. **É preciso voltar a comer**
3. **Um muro que tem uma altura má**
4. **Duas-Torres-de-Babel, duas pedras**
5. **Trovoada e Voo-a-Pedais**
6. **Imagens Falsas — segunda sessão de Cinema**

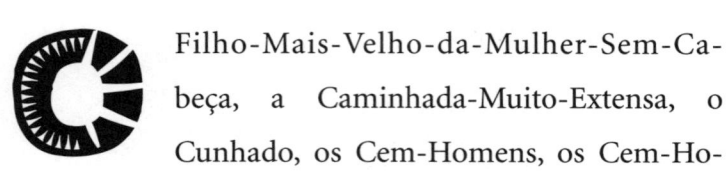

C Filho-Mais-Velho-da-Mulher-Sem-Cabeça, a Caminhada-Muito-Extensa, o Cunhado, os Cem-Homens, os Cem-Homens-Mais-Um, Duas-Torres-de-Babel, o Poço, o Voo-a-Pedais, o Muro, o Cinema

1. Muitas pernas, uma grande caminhada

O Filho-Mais-Velho-da-Mulher-Sem-Cabeça faz parte dos muitos milhões que avançam na Caminhada-Muito-Extensa.
Três anos de esforços e privações, mil anos de felicidade.
Lera esta frase na escola, depois lera esta frase em cartazes colados em muitas paredes.
Trata-se de *caminhar sobre as duas pernas*, e eis que a multidão avança sobre as duas pernas, multiplicadas por cinco milhões. Um país avança quando dez milhões de pernas avançam. Mas só um homem dos que caminham sobre as duas pernas escolhe o percurso — seria impossível pedir a opinião a dez milhões de pernas.
Muitos avançam e muitos vão morrendo.
O Filho-Mais-Velho-da-Mulher-Sem-Cabeça está cansado e tem fome.
Ao seu lado, cem pessoas têm fome.
Cento e uma pessoas têm fome; de noite montam acampamento e decidem ficar por ali. Na manhã seguinte, aparece um estrangeiro. Veio de longe. É bem-recebido.
 No segundo dia oferecem ao estrangeiro a irmã de um dos cento e um homens. Celebra-se o noivado; depois o casamento.
O estrangeiro torna-se Cunhado.

Durante vinte noites deixam o Cunhado dormir com a mulher. Na vigésima primeira noite decidem comê-lo.

Trata-se da única maneira de evitar comer o irmão. O estrangeiro torna-se Cunhado, devora-se o Cunhado. É uma teoria geral do canibalismo.

Cem-Homens à volta da mesa, mais o Filho-Mais--Velho-da-Mulher-Sem-Cabeça, fazem cento e um homens. A mulher do estrangeiro também está presente. A mesa é grande e bocados de carne passam de um lado para o outro.

Os homens têm fome, mas nem todos os grupos têm a sorte de serem visitados por um estrangeiro que se apaixona por uma das suas mulheres. Por isso, na mesa é dada a possibilidade de a mulher escolher primeiro a parte que quer comer; depois, sim, os restantes Cem--Homens e o Filho-Mais-Velho-da-Mulher-Sem-Cabeça repartem o estrangeiro.

O banquete termina. E a caminhada prossegue.

A partir desse momento, aquele grupo chamará Cunhado a todos os homens que encontrar no caminho.

2. É preciso voltar a comer

A Caminhada-Muito-Extensa avança. A fome é interrompida pelos estrangeiros que se recebem com hospitalidade e que depois são comidos. São os estrangeiros que matam a fome ao grupo da Caminhada-Muito-Extensa.

Não se trata apenas de saciar o estômago. Ao comerem a mesma substância, os Cem-Homens-Mais-Um da grande caminhada tornam-se parentes, irmãos; o corpo vai sendo constituído pelos mesmos elementos. Os homens devorados em conjunto vão substituindo a matéria de cada corpo.

Os cento e um homens chegam ao destino. Só este grupo o conseguiu. Milhares e milhares de outros grupos foram caindo. Dos outros grupos, das centenas de pessoas que começaram a Caminhada-Muito-Extensa terminaram uma, duas, cinco no máximo. Só aquele grupo de cento e um homens começou com cento e um homens e acabou com cento e um homens. Só aquele grupo comeu carne humana; carne de estrangeiros, sim, mas humanos — não tão estrangeiros assim.

Os Cem-Homens e o Filho-Mais-Velho-da-Mulher-Sem-Cabeça chegam ao destino extenuados. São recebidos como heróis. São-lhes oferecidas as mulheres mais belas para passarem a noite. O banquete é, pela primeira vez, desde há muitos meses, composto de carne de outros animais. Alguns elementos do grupo estranham e sentem-se mal.

O Filho-Mais-Velho-da-Mulher-Sem-Cabeça receia por instantes que eles não possam retomar um lugar normal na mesa do banquete. No entanto, as náuseas foram-se atenuando com os dias. Ao fim de uma semana, só ficou uma sensação de estranheza na língua. Uma semana mais tarde, o grupo está já habituado à comida normal dos homens.

3. Um muro que tem uma altura má

São subitamente acordados na manhã do décimo quinto dia.
Há uma tarefa para os Cem-Homens mais um. São heróis, merecem uma tarefa.
É necessário dividir a cidade em duas. Na noite de doze de Agosto, quarenta e três quilómetros de arame farpado são levantados por esses Cem-Homens mais um. O arame farpado é depois substituído pelo Muro, uma linha recta edificada, uma linha recta firme que avança como uma linha recta avança numa folha de papel, só que aqui a linha não é um traço de tinta mas um muro, e o papel é uma cidade. De um lado ficam uns, do outro lado, outros. Casas são divididas ao meio — quarto para um lado do Muro, cozinha para outro; famílias ficam subitamente separadas.
Por vezes, uma mulher de trinta anos sobe a um poste de electricidade para conseguir ver a mãe. Se o consegue, diz adeus de um lado e, do outro, a mãe responde. Dessa forma confirmam, mãe e filha, que estão vivas e bem de saúde. Acenar, apesar de tudo, ainda requer a solidez de muitos órgãos, de vários músculos — ninguém gravemente doente sobe a um poste e acena para o outro lado do Muro.
O Muro é da altura de um homem de um metro e oitenta, enforcado, cujos pés balançam quatro metros acima do solo. Era esta a medida, a referência.

E é também a partir desta medida de referência que se construiu a enorme torre onde se reza. E as Duas-Torres-de-Babel. E o próprio Poço.

Cava-se como se constrói em altura: é necessária uma medida de referência.

4. Duas-Torres-de-Babel, duas pedras

Duas-Torres-de-Babel, lado a lado.
Tinha sido uma competição: quem chega mais alto?
De facto, dali de cima, o que se quer é ver de perto as máquinas que voam. Foi para isso que foram erguidas.
Porém, um dia aconteceu isto: de manhã, alguém, lá de baixo, atira uma pedra contra uma das torres.
A pedra é atirada com tanta força que a primeira das torres de babel treme de imediato — como se fosse culpada. Depois lá em cima, fica negra e a torre cai, desfaz-se.
Mais tarde, outra pedra é atirada contra a segunda torre de babel.
A segunda torre de babel treme, treme, mas não cai. Fica e fica. Fica.

5. Trovoada e Voo-a-Pedais

Afixado no Muro, este cartaz. Uma notícia:

O único homem do mundo ainda vivo após ter sido atingido 7 vezes por relâmpagos é o ex-guarda-florestal Roy C. Sullivan (EUA), o para-raios humano da Virgínia. A sua atracção pelos relâmpagos começou em 1942 (perdeu a unha do dedo grande do pé) e repetiu-se em Junho de 1969 (perdeu as sobrancelhas), em Julho de 1970 (ombro esquerdo queimado), em 16 de Abril de 1972 (o cabelo incendiou-se), em 7 de Agosto de 1973 (o cabelo incendiou-se de novo e as pernas ficaram queimadas), em 5 de Junho de 1976 feriu um tornozelo e, em 25 de Junho de 1977, foi enviado para o hospital de Waynesboro com queimaduras graves no peito e no ventre, após ter sido atingido enquanto pescava.

No Muro — os cartazes, as notícias.

Voo-a-Pedais
O recorde mundial da distância de voo impulsionado pelo homem foi estabelecido em 12 de Junho de 1979 por Gossamer Albatross, uma aeronave de propulsão humana fabricada pelo Dr. Paul MacCready, pilotada e pedalada por Bryan Allen. Albatross levantou voo de Folkstone, Inglaterra, às 5h51 e aterrou a 35,82 km de distância, em Cap Gris Nez, França, às 8h40. A duração do voo foi de 2

horas e 49 minutos [...] foi a primeira travessia do canal da Mancha por um engenho de propulsão humana.

Atravessar o canal da Mancha por cima — a pedalar. Um belo objectivo.

6. Imagens Falsas — segunda sessão de Cinema

A segunda sessão de Cinema mostra imagens das primeiras tentativas de construir máquinas que voem. Um homem que voava pedalando.

Os espectadores levantam-se, não acreditam no que veem. Estas imagens são falsas, dizem.

Ninguém acredita no Cinema.

VII

1. Ber-lim não fala bem
2. Tratamentos eléctricos para estudar os músculos
3. Gargalhadas e chapéu na cabeça
4. Duas formas de prender os loucos
5. Hospitais e médicos — muitos rostos
6. Ber-lim está pronto!
7. As máquinas orientam
8. Ber-lim lê para os meninos — há risos
9. Os meninos brincam numa espécie de floresta — e não deviam

Ber-lim, o Dr. Charcot, o Voluntário, o célebre Dr. Duchenne, os Cinco-Meninos — Alexandre, Olga, Maria, Tatiana e Anastácia, a Máquina-de-Voo, a Casa-das-Máquinas, o Lobo

1. Ber-lim não fala bem

Um homem. Um homem que tem algumas dificuldades na fala diz: Ber-lim; assim mesmo, separado: Ber-lim.
Um louco. Fica conhecido por esse nome. Ninguém sabe o seu nome de nascença, ninguém lhe conhece pai ou mãe, todos na rua o tratam como Ber-lim, o louco.
Ber-lim foi tratado num hospital psiquiátrico que, em vez de se situar num lugar, se situava num século. Foi seguido pelo Dr. Charcot.

O Dr. Charcot era fascinado por doenças mentais. De certa maneira, o seu manicómio produzia doenças mentais como uma fábrica produz outras coisas.
Entravam com as loucuras mais indescritíveis e imprevisíveis, mas saíam, no final, muito semelhantes nos comportamentos. As perturbações mentais eram normalizadas. Saíam de lá loucos, mas previsíveis.
Loucos que não dominavam as orientações mínimas para circularem dentro da cidade. Um mapa nas mãos de um desses loucos é um desenho, um quadro, uma coisa estúpida, absurda.
Um dos loucos, Ber-lim, precisamente, faz um chapéu para o sol com o mapa da cidade.
E assim anda pelas ruas, com o mapa da cidade sobre a cabeça dobrado em forma de chapéu.

2. Tratamentos eléctricos para estudar os músculos

No manicómio, o Dr. Charcot começou com os seus tratamentos eléctricos. As convulsões do corpo dos loucos terminavam num apaziguamento que se prolongava por vários dias. Entre um choque eléctrico e outro podiam passar meses.

O Dr. Charcot percebe algo que o fascina. Se encostar um pequeno ponteiro ligado à electricidade a diferentes partes do corpo, os músculos reagem autonomamente. É também uma forma de perceber quais os músculos que já não funcionam devido à falta de vontade e quais aqueles cuja própria matéria foi atingida.

O doutor percebe ainda que, se encostar o apontador eléctrico a certos pontos do rosto de um louco, este expressará involuntariamente um conjunto de expressões faciais. Um toque num certo ponto junto da boca tem como efeito fazer o louco sorrir. Um toque num músculo da testa faz a sobrancelha erguer-se.

3. Gargalhadas e chapéu na cabeça

Ber-lim entra duas ou três vezes no espectáculo, mas muitas vezes cansa-se ou perde-se e nunca mais chega ao sítio onde sabe que deve estar para fazer rir os outros e, depois, para receber dinheiro.
É um espectáculo simples.
Os loucos sentam-se numa cadeira aparentemente igual a todas as outras e o Dr. Charcot utiliza a máquina portátil que desenvolveu.
Ber-lim, o louco, na sua primeira actuação, senta-se, sem saber bem o que lhe vai fazer o Dr. Charcot.
Os homens da cidade pagam bilhete, mas não se trata de circo, é algo bem distinto. É divertido, sim, as pessoas riem-se com as caretas que Ber-lim faz quando estimulado pelas varas eléctricas, mas são gargalhadas contidas, gargalhadas que manifestam ao mesmo tempo divertimento e admiração científica. Não se trata do truque de um mágico mas quase. O que acontece é inacreditável e Ber-lim sorri sem querer, levanta a sobrancelha, baixa-a, franze a testa, e tudo isto involuntariamente. A electricidade comanda-lhe os músculos e Ber-lim transforma-se num palhaço sem vontade própria, numa marioneta. É ele, o doutor, quem decide o que o rosto de Ber-lim faz. E aquela máquina portátil, quase mágica, não se limita a comandar as expressões superficiais do rosto de Ber-lim. Ela consegue pôr Ber-lim a rir às gargalhadas ou a chorar, tudo através de estímulos eléctricos no sítio certo.

A perícia do doutor é evidente. Ele pede a um voluntário da assistência que venha, não pôr-se no lugar do louco, pois isso é inadmissível, mas no seu lugar, no lugar de quem manipula a electricidade. O Voluntário ocupa o lugar do doutor e tenta com as varas fazer de novo a sobrancelha de Ber-lim levantar-se, mas não consegue. As tentativas são muitas, vários elementos da assistência tentam, e o resultado é sempre o mesmo: o rosto do louco mexe-se involuntariamente com os choques eléctricos, mas sem controlo por parte de quem os faz mover. É como se o maestro daquele rosto estivesse, também ele, louco, e não soubesse dar as ordens certas. O doutor agradece a colaboração das pessoas da assistência, recupera a vara eléctrica e demonstra, depois, de novo, como é fácil fazer Ber-lim rir às gargalhadas, sem motivo algum.

Muito depois de toda a assistência partir, Ber-lim recebe duas notas que pagam o seu trabalho. O doutor agradece e elogia a contribuição de Ber-lim para a investigação científica.

O rosto de Ber-lim é naturalmente impassível. Quem conhece Ber-lim dos seus avanços erráticos pela cidade, sempre com a cara fechada, neutra, mais admira o trabalho do Dr. Charcot e a forma extraordinária como este domina tanto a electricidade como a localização exacta dos músculos do rosto. Aquele rosto é uma máquina cujo modo de funcionamento só Charcot conhece.

Quando Ber-lim avança com o mapa da cidade a fazer de chapéu para não apanhar sol, algumas crianças metem-se com ele, pois já o conhecem das exibições do Dr. Charcot e querem provocar uma reacção, uma irritação no rosto, algo que o faça abandonar aquela neutralidade grotesca.

As crianças arrancam o chapéu a Ber-lim e um dos miúdos foge com ele, parando e acenando com aquele mapa-chapéu.
O louco corre atrás. O menino é, evidentemente, mais rápido e, quando o louco para a pedir o chapéu, ele para também e, de novo, acena: Está aqui, não o vens buscar? Claro que para as crianças o chapéu não interessa, querem, sim, ver a cara do louco, querem irritá-lo, mas não conseguem. A sua cara talvez se franza um pouco, como alguém que está preocupado com algo mas não sabe o quê. No entanto, o facto de o louco Ber-lim estar parado e sossegado num banco ou a perseguir algum miúdo, nada altera a sua fisionomia. O que acontece à volta de Ber-lim já não importa, o seu rosto só se mexe com a electricidade.
Ber-lim diz às crianças que não pode apanhar sol na cabeça, que foi o médico quem lhe recomendou o chapéu.
— Para eu ficar bom — diz Ber-lim.
E as crianças riem.

4. Duas formas de prender os loucos

Duas formas de prender os loucos quando ainda estão na fase de conseguir fazer movimentos violentos e perigosos.

1. Numa caixa, com o formato de uma cama e a dimensão exacta do corpo: o louco fica apertado, mas não impedido de respirar.

2. Amarrados, pernas e mãos, a uma cadeira, com uma pequena caixa à frente dos olhos para não verem e não serem vistos.

Duas formas de prender os loucos quando ainda estão na fase de conseguir fazer movimentos violentos e perigosos.

5. Hospitais e médicos — muitos rostos

Bethlehem, hospital de Londres, era, no século XIII, a casa de horrores para os loucos. Eram chicoteados, passavam fome. O arroz era colocado numa malga no chão. Comiam dobrados como cães. Estavam cinquenta numa cela de vinte metros quadrados.
Os médicos faziam com eles experiências secretas.

Um certo médico libertou todos os doentes mentais. Muitos saíram a correr como animais encerrados há muito tempo. Outros saíram a passo, sem perceberem bem o que estava a acontecer.
Os que começaram de imediato a correr para o mais longe possível dali correram sem qualquer sentido, muitos acabaram extenuados, horas depois, muito próximo do ponto de partida. Haviam corrido com o máximo das suas forças mas quase em círculo. Pensavam que bastava correr sempre em frente para se afastarem daquela casa de horrores que era o manicómio, mas não. Naquelas circunstâncias, quem ia sempre em frente arriscava-se a terminar no mesmo sítio.
Foi nessa altura que, a um desses loucos, àquele a quem chamavam Ber-lim, entregaram um mapa da cidade para ele se orientar na fuga. Mas Ber-lim não percebeu nada e fez com o mapa da cidade um chapéu porque ouvira vezes sem conta o doutor dizer que o sol lhe fazia mal à cabeça.

Ber-lim andou em círculos, perdido durante vários dias, com o mapa da cidade, dobrado, na cabeça.

O célebre Dr. Duchenne, através da estimulação eléctrica dos músculos faciais dos loucos, conseguiu localizar, até 1868, mais de cem músculos.

Muitas vezes, a metodologia utilizada para registar as expressões faciais passava pela fotografia, outras vezes, pelo desenho.

Desenhadores habilidosos, considerados desenhadores mais científicos do que artísticos, eram contratados pelo Dr. Duchenne para desenhar as várias expressões que os loucos faziam quando estimulados em certos pontos pela corrente eléctrica.

O desenhador sentava-se ao lado do médico e da sua máquina de electricidade e desenhava com todo o pormenor o rosto do louco à sua frente como se de um qualquer outro modelo se tratasse.

Mais tarde, nas costas de desenhos muito semelhantes, o Dr. Charcot, ele próprio, identificava os músculos que havia excitado pela electricidade. Desta forma concentravam-se, numa única folha, os efeitos, o resultado final — a face grotesca que levanta uma sobrancelha e faz descair o lábio de baixo — e as causas: os músculos cuja contracção ou relaxamento haviam estado na origem daquela expressão.

Em certas investigações com mais recursos utilizava-se a fotografia para fixar os *cento e um rostos do louco*, expressão que se tornara já habitual entre médicos.

6. Ber-lim está pronto!

O Dr. Charcot queria mostrar um ataque epiléptico e explicar as suas origens e efeitos a uma audiência de médicos e curiosos — e perguntou ao louco, Ber-lim, se ele estava disponível.

O preço foi acordado.

Ber-lim estava pronto — pelo menos até ao ponto em que percebera o seu papel — para ser estimulado electricamente na cabeça, no rosto, nos músculos das pernas e nas costas — área que o Dr. Charcot considerava importante — até ter um ataque epiléptico.

A sala estava cheia. Cerca de quarenta pessoas. Os convidados haviam sido seleccionados. Todos os que estavam ali para assistir tinham interesses científicos ou artísticos. Ou então, mas isso era uma excepção, eram as pessoas mais importantes da cidade. Estava presente, sem ninguém saber a sua identidade, um dos filhos do rei-imperador-czar, Alexandre. E também, sim, escondida, ali estava a pequena Anastácia.

Ber-lim entrou à frente do seu amigo e médico, o Dr. Charcot. A seu pedido, sentou-se na cadeira, ao lado da máquina. O médico ligou o aparelho, pegou com a mão direita num dos eléctrodos e pediu ao louco que se despisse. Só ficariam as cuecas.

O louco assim fez. Só havia uma mulher presente que, no momento em que o louco se começou a despir, baixou ligeiramente a cabeça, num instinto de pudor que pouco depois abandonou. Não estava ali para dar atenção a um homem nu.

— Está pronto? — perguntou o doutor.

Ber-lim respondeu:

— Estou pronto.

7. As máquinas orientam

Ber-lim tem agora um mapa na mão.
Ao seu lado, está o Dr. Charcot. Há um mês e meio que Ber-lim não recebe qualquer choque eléctrico.
Estão ali para uma experiência.
Sete médicos estrangeiros. Ber-lim vai conduzi-los.
O Dr. Charcot põe o mapa nas mãos de Ber-lim e endireita-o. O norte no norte, o sul no sul, e diz, apontando com o dedo:
— Estamos aqui.
O mapa é uma coisa incompreensível. Ber-lim não entende nada, são rabiscos, traços, cores, desenhos mal feitos, um desenho infantil, eis o que para Ber-lim é o mapa.
Melhor: aquele mapa é o seu chapéu, reconhece-o. Aquilo que evita que a sua cabeça apanhe sol. Querem que ele olhe para o seu chapéu e que diga por onde eles podem avançar?
Ber-lim não entende nada, mas diz:
— Por aqui.
Não tem qualquer orientação espacial. Deixa-se guiar pelo ruído de motores que vêm do céu. Máquinas lá em cima. Máquinas que levitam. Que estranho!

8. Ber-lim lê para os meninos — há risos

Ber-lim senta-se. Passam-lhe um livro para as mãos. Pedem-lhe que leia alto.

Ber-lim lê, tropeça nas palavras, volta atrás, vê-se que não entende.

Três adultos estão de pé a ver tudo.

Um deles sugere a Ber-lim que vire as ilustrações para os meninos, diz-lhe que eles gostam de as ver.

Ber-lim vira o livro para eles; os movimentos descoordenados. Há alguns risos.

Em redor dele estão vários meninos. Quantos? Cinco.

Cinco-Meninos. Cinco irmãos. Alexandre, Olga, Maria, Tatiana e Anastácia.

9. Os meninos brincam numa espécie de floresta — e não deviam

Ber-lim gosta de crianças e cinco seguem-no de manhã para ver a *casa das máquinas da história mundial*.
São Cinco-Meninos de idades diferentes. Cinco irmãos.
Alexandre, Olga, Maria, Tatiana e Anastácia.
Como Ber-lim conseguiu a chave não se sabe, mas eis que abre a porta e entram. Atrás deles, sem ninguém o notar, entrou também um lobo.
Primeiro ficam pasmados, depois correm por onde podem correr, sobem para onde podem subir, tocam nas máquinas que não estão demasiado quentes.
Ber-lim está contente, mas isso não é fácil de perceber.
Num espaço livre que existe no chão, as meninas Olga e Tatiana desenham a giz o jogo da macaca. Maria e Anastácia olham. Também querem jogar, mas Anastácia é muito pequena, não sabe ainda saltar com os dois pés juntos, não sabe saltar ao pé-coxinho. Não pode jogar.
O barulho das máquinas em funcionamento não perturba os meninos.
É uma área enorme, máquinas e mais máquinas em funcionamento, impossível saber quantas.
Anastácia, a mais pequena, tem ainda a chupeta na boca, quando quer falar não a tira, é Tatiana quem a arranca quando quer perceber alguma coisa.
Ber-lim é atencioso com a pequena Anastácia. A mais velha, Olga, também. Na Casa-das-Máquinas há

muitos sítios onde a pequena Anastácia se pode magoar. Ela não entende os perigos. Ainda não percebe o que são máquinas.

O mais velho, Alexandre, tem, como Maria e Tatiana, um belo cabelo louro, encaracolado.

Alexandre, sem Ber-lim ver, está já lá ao fundo a escrever palavrões numa máquina.

Maria tem nove anos e está escondida, atrás de outra máquina, a escrever o nome de um rapaz. Alexandre, noutro ponto da Casa-das-Máquinas, faz agora um desenho obsceno.

Ber-lim está em volta da pequena Anastácia, tentando, com os seus movimentos desengonçados, que ela não caia, que ela não se queime nas máquinas que estão em funcionamento e que parecem ter uma temperatura que nenhum ser humano suporta.

O grande problema da Casa-das-Máquinas é esse: o calor insuportável.

Ber-lim tira a camisa, está de tronco nu.

Os Cinco-Meninos tiram os casacos.

As meninas estão já a jogar à macaca.

Olga é a mais responsável. Tem o cabelo mais escuro. É ela quem começa a saltar.

A pequenina Anastácia tenta imitar os movimentos das irmãs mais velhas, mas não consegue levantar os pés. No entanto, pensa que sim. Tatiana bate palmas à irmã pequenina, dá-lhe um beijo.

Ber-lim chama por Alexandre, o mais velho. Onde está ele?

Ber-lim quer saber onde estão os Cinco-Meninos. Percebe que não os deveria ter trazido para ali, para a Casa-das-Máquinas.

Ele leva a pequenina Anastácia pela mão, procuram Alexandre naquela espécie de floresta. Alexandre já partiu um manípulo que não sabe para que servia. Não faz ideia se é importante, mas calcula que sim. Ber-lim tinha dito que estavam ali as máquinas essenciais, as que não podem parar.

Alexandre coloca o manípulo de forma a parecer que continua intacto. Já escreveu vários palavrões em várias máquinas e repete os desenhos obscenos por todo o lado.

Ber-lim está agora ao fundo da Casa-das-Máquinas e leva pela mão a pequenina Anastácia. Pede a Alexandre que fique com ela, que lhe dê a mão. Alexandre diz que não, que quer ver mais máquinas, que ainda não viu todas. Chamam Olga, e esta agarra na pequenina mão de Anastácia. Pergunta-lhe se ela quer ver mais. Ela não responde. Está um calor insuportável.

E, aos poucos, a confusão.

Maria e Tatiana já pararam de jogar à macaca. Não suportaram o movimento com aquele calor. Olham à volta, não veem Ber-lim. Alexandre aparece e pergunta:

— Onde está Ber-lim?

Ninguém sabe de Ber-lim.

Alexandre grita pelo louco. Não se ouve nada.

Dali a uns segundos, uma voz, finalmente.

Mas é de Olga, que está com a pequenina Anastácia.

Onde está Ber-lim?

Olga chama por Alexandre, Alexandre chama por Olga. Pergunta se Anastácia está com ela, Olga responde que sim. Tentam encontrar-se, mas a Casa-das-Máquinas não é assim tão organizada, sentem-se perdidos, num labirinto, a dar voltas e voltas, a passar pelo mesmo sítio, perdidos numa floresta, já não distinguem as árvores, cada máquina parece igual à outra. Já passei por aqui, não passei por aqui. Afinal, a Casa-das-Máquinas é enorme!

Olga aparece finalmente com a pequenina Anastácia. Alexandre dá-lhe um beijo e tira-lhe a chupeta para ela falar.

— Está calor, está muito calor — diz.

Alexandre, Olga e a pequenina Anastácia chamam agora por Maria e Tatiana.

Ao fundo ouvem as vozes delas.

E onde está Ber-lim?

Olga chama alto:

— Ber-lim.

Mas nada.

Segundos depois uma voz, finalmente, sim, mas de Maria. Maria grita:

— Estamos aqui.

Os dois correm — Olga e Alexandre correm em direcção ao ponto onde se ouve a voz de Maria. Estão a ficar com medo e querem juntar-se rapidamente às outras irmãs. Os dois irmãos correm, incitam-se um ao outro. Alexandre, mais rápido, pede a Olga para acelerar. Vão contornando máquinas, tentando encontrar a voz de Maria. Ouvem também a voz de Tatiana. Por que raio ficaram a

jogar à macaca, pensa Alexandre. Mas ali estão as duas, finalmente, e eles os dois também, Olga e Alexandre, mas subitamente aquela sensação. Maria a perguntar:
— Onde está a Anastácia? Esquecemo-nos dela! ONDE É QUE ELA ESTÁ? — grita.
Os quatro ficam em pânico. Gritam por Anastácia, que está lá ao fundo, ouve-os bem, mas tem a chupeta na boca, não pode gritar.

E sim, é verdade, em algum ponto da Casa-das-Máquinas, o Lobo. Onde anda ele, e que quer ele fazer?

VIII

1. O Homem-do-Mau-Olhado ouve quatro vozes
2. Os meninos podem cair no Poço
3. Ele esconde-se, mas está lá
4. Todos querem, afinal, salvar as máquinas

CHomem-do-Mau-Olhado, a Casa-das-Máquinas, o Homem-Mais-Alto, o Mecânico, o Lobo, os Cinco-Meninos — Alexandre, Olga, Maria, Tatiana e Anastácia

1. O Homem-do-Mau-Olhado ouve quatro vozes

O Homem-do-Mau-Olhado avança de cabeça baixa quando ouve gritos de crianças.
Os gritos vêm da nova Casa-das-Máquinas.
O Homem-do-Mau-Olhado quer avançar para lá.
Impedem-no.
Têm medo que ele fixe o olhar nas máquinas e as avarie para sempre.
São as máquinas que fazem funcionar a história e a cidade.
O Homem-do-Mau-Olhado insiste. O seu ouvido é perfeito, exacto, infalível. Como não podia fixar o seu olhar nas coisas, aprendera a aperfeiçoar a audição. Ainda a muitos metros da Casa-das-Máquinas o Homem-do-Mau-Olhado diz:
— Ouvi a voz de quatro crianças — três meninas e um menino.
Eis a precisão do ouvido do Homem-do-Mau-Olhado. A uma distância significativa escuta o som das vozes de Alexandre, Olga, Tatiana e Maria.
Só não escuta a voz da pequena Anastácia — tal como os próprios irmãos não a escutam — porque a pequena Anastácia não consegue gritar.

2. Os meninos podem cair no Poço

O Homem-do-Mau-Olhado insiste:
— Ouvi a voz de quatro crianças a vir de dentro da Casa-das-Máquinas.
Um dos heróis da cidade aparece. Ele próprio irá à nova Casa-das-Máquinas, mas não sabe exactamente como. Não conhece o caminho.
Ele junta-se ao grupo de doze homens liderado pelo gigante, o Homem-Mais-Alto que comanda a Revolução:
— É nossa responsabilidade salvar os meninos — diz o Homem-Mais-Alto.
Na verdade, o grupo receava que uma criança caísse para dentro de uma máquina — como nos contos de fadas e de terror se cai para dentro de um poço — e provocasse danos. Primeiro, nessa máquina que a tivesse devorado e, depois, numa sequência lógica, que o funcionamento das outras, ligadas a essa primeira, fosse também perturbado e destruído. Uma criança que caia no interior de um desses mecanismos pode provocar uma espécie de indigestão que leve a uma paralisia do funcionamento. Pode transtornar de tal forma uma dessas máquinas, essenciais para o funcionamento da história, que a máquina perca a razão — e fique louca. Eis o receio do gigante, que lidera a Revolução, e do seu grupo.
Levavam com eles, de novo, o Mecânico, como se fosse o médico da família. Ali estava ele para, se necessário, reparar o que tivesse sido perturbado pelas crianças.

— De dentro de uma máquina retira-se um menino como outra coisa qualquer que ali caia — diz o Mecânico.

Mesmo lá fora, os poços antigos foram substituídos por máquinas enormes distribuídas pelas grandes superfícies de terreno. Sem se aperceberem, os meninos inclinam-se, por curiosidade ou inadvertência, ou, por vezes, são mesmo empurrados por outras crianças, e caem, agora não para dentro de poços mas para dentro dessas máquinas que os tratam como tratariam um adulto — aí não há diferenças —, tratam-nos como elementos a digerir, elementos a transformar. Cuidado com o poço, cuidado com as máquinas, cuidado com os meninos!

3. Ele esconde-se, mas está lá

O lobo está no meio da Casa-das-Máquinas como um homem perdido está no meio da floresta: tem medo e não entende. Ouve ruídos mecânicos e tenta ajustá-los ao que conhece e perceber se aquele ruído o ameaça ou protege. Que sabe o lobo daquela nova floresta?
Afasta-se das vozes, tenta esconder-se.
Não se atreve a uivar para pedir ajuda porque olha em volta e só vê máquinas. Fica mudo, o bicho. Tem medo e por isso mesmo torna-se muito perigoso. Mesmo ali as crianças precisam de ter cuidado com ele.

4. Todos querem, afinal, salvar as máquinas

O temível grupo entra na *casa das máquinas da história mundial*. O Homem-Mais-Alto vai à frente e tem de se curvar tanto para conseguir entrar pela porta que é como se avançasse num local sagrado onde os homens têm de baixar a cabeça até à altura dos joelhos.

O grupo, que da primeira vez destruiu tudo o que pôde, que quebrou quase todas as máquinas que lhe apareceram à frente, está agora curvado, com olhos temerosos, respeitosos, avançando com cuidado para não perturbar o normal funcionamento da Casa-das-Máquinas.

E estão ali — agora o Homem-Mais-Alto que lidera a Revolução percebe isso — todos como mecânicos, como pessoas preparadas para actuar, para repor a energia de qualquer máquina que tenha sido perturbada no seu funcionamento pela brincadeira das crianças.

Está um calor insuportável e alguns já se esqueceram porque estão lá dentro. Já se esqueceram que entraram na Casa-das-Máquinas porque o Homem-do-Mau-Olhado ouviu quatro pequenas vozes a pedir ajuda.

Os vários homens andam por ali, fascinados, afinal, com o funcionamento das máquinas. Pois, sim, quem se lembra já das crianças?

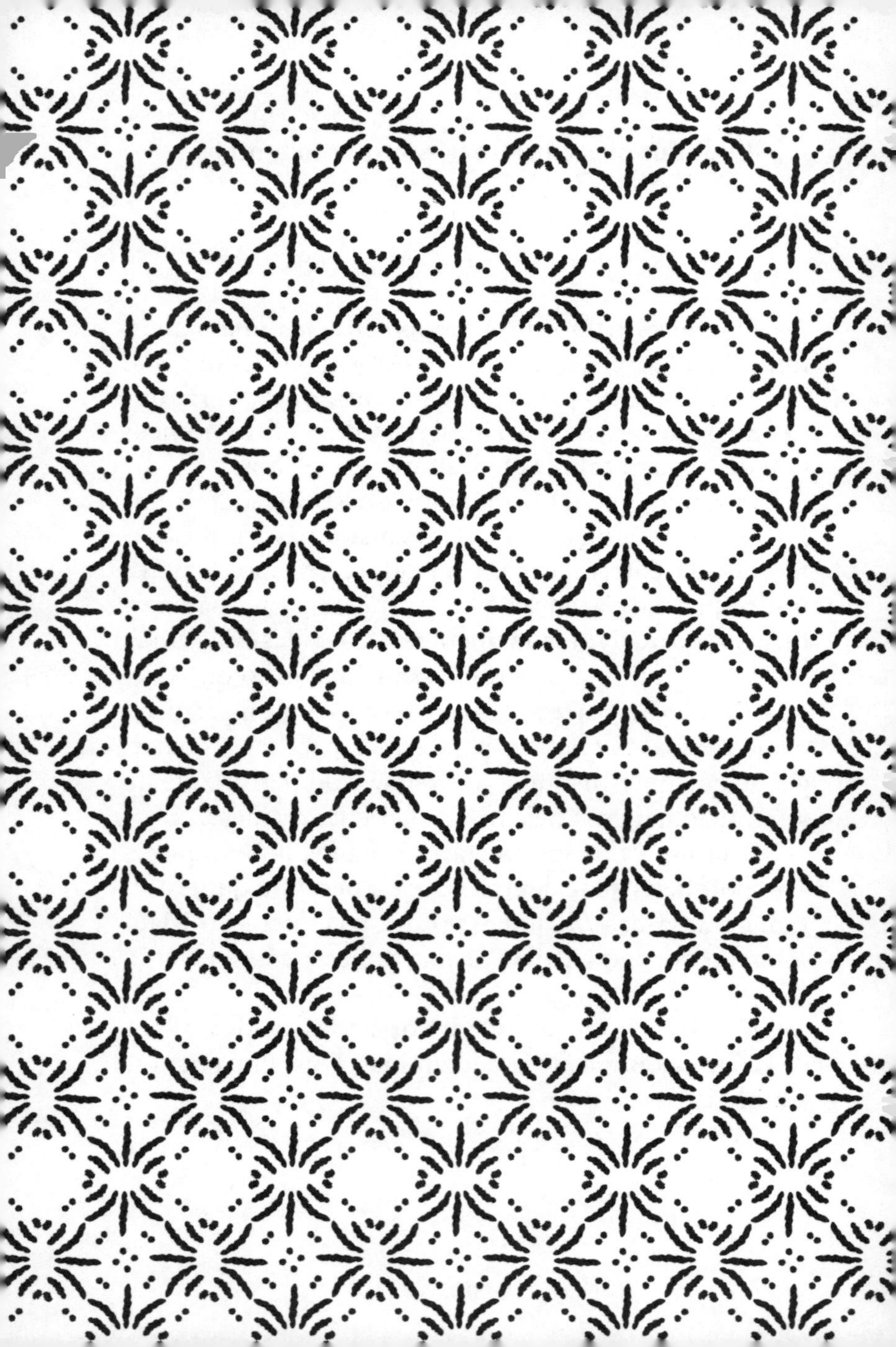

IX

1. O Comboio avança — uns vão lá dentro, outros cá fora não entendem
2. Contam-se histórias, a Velocidade é importante

Comboio, a Velocidade, Ber-lim, o Homem-
-do-Mau-Olhado

1. O Comboio avança — uns vão lá dentro, outros cá fora não entendem

Aí vem o Comboio. Divide a cidade a meio. Construíram duas linhas perpendiculares entre si.
Os homens assustam-se quando o Comboio vem porque o Comboio atravessa o centro e não para. De início avisava quando se aproximava, mas depois deixou de o fazer. Não há gritos humanos de aviso e não há apitos mecânicos; o Comboio avança silenciosamente, tiraram todos os sons da grande máquina. É em silêncio completo que vai de um ponto a outro; são duas linhas, quatro destinos, não mais, mas atravessam todo o espaço. Quantos morreram já, atropelados e esmagados pelo peso das carruagens que avançam a enorme Velocidade e em silêncio? Muitos!
E o que acontece a quem vai lá dentro?
Umas vezes alguns passageiros vêm à janela, e dizem adeus, mas ninguém consegue perceber os seus gestos porque a Velocidade com que o Comboio passa é tal que as pessoas só percebem que há humanos no Comboio que gesticulam. Mas o que lá dentro pode ser um aceno amigável ou um esboço ingénuo de troça que diz: nós vamos aqui dentro, tão rápidos, e vocês aí fora, tão lentos — no exterior pode, afinal, ser entendido como um gesto de ameaça: há coisas que não se veem porque estão longe, há outras que não se entendem porque passam demasiado rápido.
O comboio devia abrandar, dizem.

2. Contam-se histórias, a Velocidade é importante

Contam-se muitas histórias sobre os passageiros desse Comboio.
Conta-se que a Velocidade é tanta que alguns passageiros ficam cegos. É uma Velocidade excessiva, uma Velocidade que não foi feita para os humanos; estes não resistem, ficam cegos. Outros perdem a potência, sim, conta-se a história de um homem que ia casar e que na véspera do casamento entrou no Comboio, foi a uma tal Velocidade que, chegado ao destino, estava sem potência, algo que só percebeu na primeira noite em que a noiva lhe pediu força e ele viu que não era capaz. Os homens ficam cegos, perdem a vontade.
A Velocidade é excessiva. Alguns, com a Velocidade, ficam loucos. Entram no Comboio, sobem na estação de partida perfeitamente sãos, equilibrados, racionais. Mas, quando chegam ao destino, depois de o Comboio avançar àquela Velocidade enorme, o Comboio para, eles descem, põem os pés na estação e quem os recebe olha para eles e vê que algo mudou — o seu olhar não é o mesmo. Não perderam a visão, como outros, mas ficaram loucos com a Velocidade. Loucos, loucos, loucos.
Foi assim, diz-se, que Ber-lim perdeu a razão.

O que aconteceu foi que um dia Ber-lim entrou no Comboio e isso foi um erro.
Estava perfeitamente são, era um homem racional,

um homem que entendia. Ainda não ficara louco e, por isso, na altura, era conhecido como Berlim, assim, apenas; era um homem compacto, tal como o nome, todo junto, um homem sólido, com ideias firmes, um homem forte, capaz de derrubar uma árvore com um machado.

O resto da história é assim:

Não se sabe por que razão Berlim quis entrar no Comboio.

— Vou sozinho — disse.

Falava-se da Velocidade do Comboio, já havia muitas histórias: uns homens cegaram, aquele outro nunca mais teve filhos, o Comboio passou perto de uma casa e ela incendiou-se.

— Não vás — pediram, mas Berlim subiu para a carruagem. Tinha um bilhete na mão, um lugar marcado como se fosse no Cinema — mas não ia ver nada, não havia ecrã para mostrar filmes. Pelo contrário. O Comboio iria a tal Velocidade que a janela seria um muro, mesmo a pessoa mais observadora nada veria. Não se trata sequer de distinguir pormenores — o mais volumoso dos animais ou dos edifícios não seria detectado. Dali, da janela, a grande Velocidade, nem o Homem--Mais-Alto seria visto.

Na mesma carruagem, o Homem-do-Mau-Olhado, de cabeça baixa, respeitoso.

Trata-se de curiosidade, por um lado — o Homem--do-Mau-Olhado, tal como Berlim, quer perceber como é que o Comboio altera as pessoas. Mas, acima de tudo, ele quer perceber se, com a Velocidade, o seu mau-olhado deixa de ter efeitos, se perde força, se a Velocidade o anula.

Durante a viagem o Homem-do-Mau-Olhado vai para a janela e, pela primeira vez em muitos anos, olha livremente porque afinal não há coisas, e se as há, do lado de fora — lobos ou outros animais, torres altas ou um poço, o Homem-Mais-Alto, homens baixos —, ele nada vê porque a Velocidade é muita. O Homem-do--Mau-Olhado ali está à janela, como nunca antes esteve. Quem diria! Ele olha lá para fora e nada acontece.

E eis que os dois homens chegam ao destino.
O Homem-do-Mau-Olhado desce com a cabeça baixa. Na estação há muitas pessoas, muitas coisas. O Homem-do-Mau-Olhado não quer fixar-se em ninguém.
Ele está contente. A Velocidade não o modificou, não está cego, não está impotente, não está louco — e conseguiu estar à janela.
Porém, algo aconteceu com Berlim.
Ber-lim era um homem normal quando entrou na estação de partida e quando se sentou no seu lugar obedecendo ao bilhete que trazia nas mãos. Mas agora aquele homem já não é normal, o seu olhar modificou--se, algo se partiu em dois, como se a meio da viagem a Velocidade houvesse atingido tal intensidade que tivesse atirado a parte esquerda de Berlim para um lado e a parte direita para outro. Berlim estava agora louco, era já — quando pôs o primeiro pé na estação — o louco Ber--lim. Como se até o seu próprio nome se tivesse partido em dois, com o excesso de Velocidade.
— Estás louco — disse alguém.

X

1. A Aranha é lenta — história da aviação
2. A Avestruz está com fome, a Mulher-Ruiva grita, há quem faça publicidade no céu

A Mulher-Ruiva, a Aranha, a Avestruz

1. A Aranha é lenta — história da aviação

A Mulher-Ruiva está presa na teia de aranha e grita alto o nome de alguém que ela pensa que a pode salvar:
— Ber-lim — grita.
Assim mesmo, com esta pausa no meio:
BER---LIM!!!
Mas ninguém ouve.

A teia de aranha prende os membros da Mulher-Ruiva. Os seus movimentos, à medida que mais pontos da superfície da pele vão ficando agarrados aos fios da teia, estão cada vez mais limitados.

A Mulher-Ruiva está agora com o rosto virado para cima, para o céu, e tem as costas fixas à teia que, aos poucos, parece puxá-la para baixo, rodeando-a com outros fios que crescem e se multiplicam — e são produzidos, algures, lá ao fundo, pela Aranha.

A Mulher-Ruiva tem medo porque já viu, pelo canto do olho, o bicho.

É uma Aranha enorme que, com facilidade, devorará a cabeça da Mulher-Ruiva — e a Mulher-Ruiva orgulha-se muito da sua cabeça, dos seus cabelos.

Apesar de o movimento do pescoço estar já muito limitado pelos fios da teia, a Mulher-Ruiva tem ainda ângulo para perceber a Aranha a avançar. É grande, pensa.

Naquela posição indefesa, a Mulher-Ruiva consegue agora apenas olhar para cima, para o céu. A Aranha demora no seu percurso, e talvez o faça de propósito, como quem sabe o destino do outro e assim vai prolongando a espera aterrorizada da vítima. E como a Aranha é muita lenta a avançar (é mesmo o inverso do Comboio, assim descrevem a Aranha: é o elemento que se opõe à Velocidade do Comboio, e por isso mesmo é por alguns admirada) — como a Aranha é lenta, então, a Mulher--Ruiva tem tempo para ver o que se passa acima de si, no céu. E ela vê nuvens, claro, que aparecem e se organizam em formas — umas vezes estranhas, outras vezes parecendo copiar com pormenor objectos ou animais do mundo. Vê nuvens, mas, além de nuvens, a Mulher--Ruiva tem tempo para ver os ensaios dos homens que tentam voar, que tentam inventar máquinas para sair do solo, os ensaios daqueles homens que querem construir máquinas que voem para fugirem à Revolução que no solo vai avançando, não deixando intactos pedra, homem ou bicho.

Primeiro, a Mulher-Ruiva vê um balão.

É um balão de ar quente, inventado pelo padre Bartolomeu de Gusmão. 8 de Agosto de 1709. Terreiro do Paço, Lisboa.

Um padre! — Veja-se como eles sabem! E em que direcção fogem! — O balão mantém-se algum tempo no alto, mas depois desaparece.

A Mulher-Ruiva, entretanto, em poucos minutos, adaptou-se já àquela posição desconfortável. A Aranha demorava (será que tinha desistido de lhe comer a cabeça?, que bom se isso acontecesse!) e, como a Mulher-

-Ruiva só conseguia olhar para cima, aproveitou para continuar a ver os homens que tentavam voar.

Assistiu à maior travessia em balão de ar quente. Foram um pouco mais de mil e cem quilómetros. Os nomes dos heróis: Michel Arnould e Hélène Dorigny. Data: 25 e 26 de Novembro de 1981. França. A tripulação composta por estes dois elementos permaneceu no ar 29 horas, 5 minutos e 48 segundos. O balão tinha quinze mil metros cúbicos de volume.

Foi este o tempo exacto que a Aranha demorou a chegar à cabeça da Mulher-Ruiva: 29 horas, 5 minutos e 48 segundos.

Durante esse tempo, a Mulher-Ruiva viu muitas outras tentativas e ensaios para colocar máquinas no ar. Viu a primeira máquina com motor a conseguir sair do chão. Viu a queda e a morte de vários homens.

Mas finalmente uns conseguiram. E aquela fuga foi sendo aperfeiçoada.

De qualquer maneira, agora, ali está, a Aranha. É o seu momento. A Mulher-Ruiva fecha os olhos, está preparada para ser comida. Receia que a Aranha comece pela sua cabeça. Sabe bem que a cor dos seus cabelos atrai: homens eram seduzidos, mulheres eram seduzidas, mas também os animais, claro. Os animais eram os piores. Eram os que mais se fixavam na cabeça — queriam comer o seu cabelo ruivo.

A Aranha iria começar por ali, pela sua cabeça, disso a Mulher-Ruiva estava certa. Fechou os olhos. Não gostava daquele banquete. Não queria assistir.

2. A Avestruz está com fome, a Mulher-Ruiva grita, há quem faça publicidade no céu

Não apenas a Aranha se aproxima, também uma Avestruz avança, caminhando desengonçada em direcção à cabeça da Mulher-Ruiva, cuja imobilidade dos membros não lhe permite defender-se.

O pescoço alongado da Avestruz balança como se lá dentro a saliva começasse já a pensar na comida. A Avestruz está ali para comer os miolos, a sua especialidade. O seu bico entra pela cabeça, pela parte de trás da cabeça, e esgravata, como a abrir um buraco no chão, até conseguir obter uma fenda, uma ligeira fenda na crosta, no crânio. Assim, a Avestruz, depois de conseguir o mais difícil, essa fenda ligeira no crânio, na parte de trás da cabeça, mergulha o bico, com aqueles movimentos ondulatórios do pescoço, num trabalho obcecado, de operário, doentio, que revela um apetite, uma ambição animal, uma vontade que vem já do cheiro do interior da cabeça. Eis, então, que a Avestruz alarga aos poucos o diâmetro daquele buraco e, a partir de certo momento, com este escavar, com este martelar animalesco, percebe-se que já não há nenhuma técnica ou utensílio da ciência que consiga fazer o tempo voltar atrás. Neste caso: o espaço não recua, já não se recompõe, e a Avestruz tem agora o bico mergulhado no meio daqueles cabelos vermelhos e está já lá no fundo desaparecendo; cabelos vermelhos que, ao longe, poderiam ser confundidos com sangue, mas um sangue desmaiado, apesar de tudo, um sangue fraco (já que a Avestruz, com o bico, partiu a crânio como se fosse a casca de um ovo, de uma forma controlada).

Na verdade não há sangue, nada disso; simplesmente a Avestruz encontrou já o seu caminho, o seu percurso desde o exterior da cabeça ruiva até ao cérebro; e ali está ela, agora, aproveitando o facto de a teia imobilizar por completo a Mulher-Ruiva e aproveitando ainda o desviar da atenção da Mulher-Ruiva para a Aranha que, depois de se ter aproximado lentamente, lhe cobre já as pernas e o tronco, descendo a sua massa — que parece pesada e leve ao mesmo tempo — sobre o corpo da Mulher-Ruiva, o que quase a faria rir, com cócegas, se a situação fosse outra. Eis, então, que o rosto da Mulher--Ruiva está inteiro a gritar para a Aranha, não percebendo que o principal se passa no topo da sua cabeça, onde a Avestruz, desde há minutos, a partir de um buraco já com dois horríveis centímetros de diâmetro, debica os miolos como se no meio de ervas espessas procurasse pequenos vermes.

A Mulher-Ruiva grita para a Aranha, pede que ela se afaste, mas algo lá atrás, no topo, algo vai sendo comido e ela sente já as coisas só por metade, como se estivesse a perder a razão, a ficar louca ou a desmaiar, embora mantendo parte da consciência. E o estranho é que agora, lá em cima, no céu, entra, naquele momento no seu campo visual, ultrapassando uma nuvem, um enorme veículo a motor; já não há pedais, nem balão, e a Mulher-Ruiva sente naquele instante o impulso de acenar para o avião que passa lá em cima, sim, um avião moderno, completo

— como as coisas são rápidas, viva a ciência! Um avião, sim, que passa e traz colado a si um enorme pano rectangular, como se fosse uma tira que se colou ao céu, e essa tira é uma faixa de publicidade.

    Até a própria Avestruz interrompe por momentos o seu saciar obsessivo e levanta ligeiramente a sua minúscula cabeça e o seu grande bico, bico onde estão pendurados pequenos fiapos que há segundos estavam fechados, intactos, protegidos, a pensar, dentro da cabeça da Mulher-Ruiva e que agora estão ali nos estranhos beiços da Avestruz, como alguém que não tem higiene e não se limpa com o guardanapo, deixando que os restos da refeição fiquem para ali, em redor da boca, num banquete excessivo. Pois, então, até a Avestruz ergue a cabeça da sua loucura e se fixa no belo avião que faz um ruído exacto, um ruído que mostra que funciona não por acaso mas porque todos os cálculos foram feitos. A Aranha está de costas, não se vira; tem todo o seu corpo preto, fino, mas com um peso estranho — que vem mais do nojo que provoca do que de peso verdadeiro —, tem todo o corpo de costas, sim, mas a Avestruz, essa, vê a publicidade que o avião anuncia:

    Se tem loucos em casa — diz o cartaz de que a Ruiva ainda consegue captar as letras, mas não o sentido. — *Se tem loucos em casa, leve-os amanhã ao meio-dia à Praça- -Central. Vamos curá-los.*

    Como? — pergunta a Mulher-Ruiva. — Como?

XI

1. É meio-dia e a Praça-Central está cheia
2. O mau-olhado cai num homem saudável

A Praça-Central, o Dr. Charcot, o Lobo-tomobile, o Homem-do-Mau-Olhado, Ber-lim

1. É meio-dia e a Praça-Central está cheia

Velhos trazem os filhos que perderam a razão. Maridos trazem as mulheres loucas; alguns levam a mulher atada por uma corda, outros, com delicadeza, de mãos dadas com a sua esposa louca. Outros trazem os pais, mãe e pai que já não sabem onde estão, já não conseguem responder a perguntas básicas, que urinam nas calças sem qualquer controlo, estão loucos do corpo, da fisiologia.

— Também se fica louco assim — diz um dos filhos, um dos três irmãos, justificando o facto de trazer os pais à Praça-Central, ao Dr. Charcot, correspondendo a uma certa publicidade que avançou pelos céus nessas belas novas máquinas que, com motor, se aguentam lá em cima, espantosamente, elementos metálicos pesados competindo com a incrível leveza das nuvens. Isso!

O Dr. Charcot pede calma a todos os familiares dos loucos, porque todos querem passar à frente, todos querem que o seu louco seja o primeiro a ser operado.

É evidente que a coisa ainda não foi testada, ninguém conhece nada do novo aparelho, ainda não se viu nenhum resultado; porém, de certa maneira, não se trata apenas de ver os familiares curados, trata-se de uma fuga — o filho entrega os pais ao Dr. Charcot de uma maneira que quase parece dizer, e autorizar, que eles fujam dali, que fujam dele, que desapareçam. Ou que ele, o filho, fuja.

O Dr. Charcot avança com um pequeno veículo chamado Lobotomobile. É um veículo que anda, tem rodas e motor e, ao mesmo tempo, tem uma maca e um aparelho — enfia-se o leucótomo no crânio, este atravessa o osso e chega ao cérebro; depois procede-se à lobotomia, extraindo-se uma parte desse cérebro; e isto em poucos minutos, pois a multidão começa já a exaltar-se e todos querem que o doutor trate do seu louco.

Ao lado do Dr. Charcot, de forma a manter a multidão minimamente distraída, evitando uma catástrofe ou um tumulto generalizado, ali estão dois homens. Inicialmente haviam ajudado o Dr. Charcot na lobotomia, porém agora um deles mantém seis bolas no ar, sem as deixar cair, passando-as de uma mão para a outra, o que deixa as crianças maravilhadas — quer as crianças loucas que os pais haviam trazido, quer as crianças sãs que as mães puxaram para poderem ver o pai a ficar bom da cabeça. Os mais novos estão fascinados com as bolas coloridas que não caem ao chão; outros com os truques de um segundo ajudante do Dr. Charcot que, com astúcia, chama uma parte da multidão para um outro ponto, de modo a que as pessoas não se esmaguem em redor do Lobotomobile. Porém, a maior parte dos homens e das mulheres dirige a sua curiosidade para o essencial, aquilo que começara ao meio-dia. A maior parte dos olhos estava, então, ou tentava estar, virada para as mãos hábeis do Dr. Charcot e para o aparelho que metia em ordem, que acalmava o sobressalto, a exaltação e a euforia dos loucos.

Um adulto trazido pela mulher, que o entregou ao Dr. Charcot — aos gritos e com saltos descontrolados e sem razão de ser — foi, poucos minutos depois, devolvido com uma calma que impressionou toda a multidão. Esse homem exaltado, a quem o Dr. Charcot fizera uma lobotomia retirando um fragmento do cérebro, um minúsculo fragmento do cérebro, estava agora tranquilo, apático talvez; no entanto, a esposa estava contente e, no regresso a casa, apresentava-o a todas pessoas com quem se cruzava como se apresentasse um novo homem.

Nesse mesmo dia cruzaram-se com um inimigo do marido — havia uma desavença e insultos antigos. Mas, estranhamente, os três começaram a falar baixo entre si; a mulher e o inimigo estavam contagiados por aquilo, pela tranquilidade.

E ali estão, assim, agora, três habitantes, três pontos insignificantes, três pontos minúsculos, três pedras — ou nem isso, quando vistos do alto pelo piloto que conduz ainda o seu avião por cima da cidade, procurando chegar a todos os cantos com a sua mensagem publicitária, dentro do rectângulo de pano

leve-os amanhã ao meio-dia

E embora passem já algumas horas do meio-dia, continua a fazer sentido aquele percurso, pois alguém pode ter ainda um louco em casa, um familiar, um amigo, e ainda não ter sido informado.

E aqueles que, do alto do avião, são apenas três pontos no solo estão naquele momento ajoelhados, muito próximos entre si, e parecem rezar ou algo semelhante.

A mulher chora até, comovida, mas é a única que chora. Os outros, os dois homens, na verdade, parecem estar a pensar noutra coisa.

Se tem loucos em casa, leve-os amanhã ao meio-dia à Praça-Central. Vamos curá-los.
   Um já está.

2. O mau-olhado cai num homem saudável

Com que rapidez se extrai uma parte do cérebro, com que rapidez se resolvem problemas que vêm de décadas e que nenhuma sessão de conversa ou de terapia havia resolvido. O Dr. Charcot merece tudo, murmura-se; um banquete, alguém propõe. E, entre a multidão, a assistir às sucessivas operações, dois homens, em pontos diferentes — o Homem-do-Mau-Olhado e o louco Ber-lim.

O Homem-do-Mau-Olhado não conseguiu resistir à sua curiosidade e já fixou o olhar na máquina e no Lobotomobile. Não olhou apenas uma vez e de um único ponto de vista. O Homem-do-Mau-Olhado está fascinado com aquilo, com a rapidez e a eficácia e, por isso, deu a volta a todo o veículo e observou com atenção todos os instrumentos utilizados. Estivera já na parte da frente, na parte de trás, de lado, etc.

Num outro ponto, agora, o Homem-do-Mau--Olhado, numa posição privilegiada que lhe permite ver a mão direita do médico — a mão direita era o mais importante. Poderia estar num local em que não visse a mão esquerda, poderia não ver os pés, o tronco, podia até, no limite, não ver o rosto, mas o que ele não queria era deixar de ver a mão direita. Por isso, o Homem-do--Mau-Olhado não saíra dali, daquele exacto lugar, e lutava com a multidão para manter esse ponto de vista, como se fosse a cadeira do Cinema, um lugar de excepção. O Homem-do-Mau-Olhado está, pois, ali no ponto, único talvez (e por isso se sente privilegiado), em que consegue ver o essencial do Dr. Charcot — a sua mão direita, a grande força, a base da energia que entrava no cérebro das pessoas e lhe tirava uma parte.

Ber-lim está noutro local da Praça, sem companhia. Sabe bem que é louco, mas quer apenas observar. Não levanta o braço a pedir para ser operado. E a sua sorte é que está só. E por isso, sem familiares próximos nem amigos, ele não tivera ninguém que o levasse à Praça--Central ao meio-dia para ser lobotomizado pelo seu conhecido Dr. Charcot. Ninguém o empurrara em direcção à Praça nem em direcção ao veículo das lobotomias. Ele está ali como espectador; viu a publicidade lá em cima no céu e, como adora aviões, ali está, eis o seu raciocínio ingénuo.

Claro que corre riscos; ele é conhecido por aqueles lados e qualquer um pode, subitamente, dizer que ele, Ber-lim, está ali! o louco! e que deveria ser operado pelo Dr. Charcot. Mas de facto ninguém olha para ele; Ber--lim passa completamente despercebido porque, numa euforia egoísta, cada familiar, cada amigo saudável e no domínio da razão, está ali para fazer força de maneira a que o seu familiar ou amigo louco seja atendido e operado primeiro; para que o Dr. Charcot tire a parte do cérebro que está louca e deixe a parte do cérebro que está saudável — uma solução admirável e que excita todos. Não estão ali, pois, para olhar para o lado.

Ber-lim é assim apenas mais um e, por isso, ali está, desde o início até ao fim, como espectador.

Claro que numa multidão nunca há controlo absoluto e alguns homens de uniforme tentam o possível para evitar confusões, insultos, desacatos, pancadaria.

Cada um quer que o seu familiar vá à frente, empurram-se, provam a sua presença desde as seis da manhã naquele local — uma mãe diz que dormiu na Praça para guardar a vez para o seu filho que nascera demente. Enfim, todos tentam provar a sua prioridade — através do tempo que ali estão à espera ou do relato da gravidade da loucura do seu familiar.

No meio destes distúrbios certamente foram cometidos vários erros, muitas pessoas passaram injustamente à frente de outras — mas isso é o menos. Um erro mais grave, e não sabemos se outros semelhantes ocorreram, foi o caso de um homem que, já no carro das lobotomias, insistia que não era louco, que não era ele, que era o irmão. Porém, havia uma pressão enorme de tempo, quantos loucos ainda para serem lobotomizados!, e o Dr. Charcot, como com outros loucos antes sucedera, teve ajuda de dois homens que prenderam aquele que repetia *que não estava louco, que era o seu irmão, esse, sim, que estava louco*. Esse homem foi preso por cordas; preso com uma violência que chocou até algumas mulheres que baixaram os seus olhos e taparam os dos filhos, para os filhos não verem. À força, ao homem que repetia que não estava louco, ataram-lhe violentamente cordas à volta das pernas e dos braços, depois puseram-lhe uma espécie de capacete, de modo a que ele não visse, taparam-lhe a boca e, então, nesse instante, até o Homem-do-Mau-Olhado baixou a cabeça, não como costumava fazer — esse movimento de quem não quer amaldiçoar ninguém com o seu olhar — mas com um movimento involuntário, de pudor, de horror até, que nunca o Homem-do-Mau-Olhado até ali tivera.

    De resto, tudo rapidamente serenou, até porque as operações eram rapidíssimas. Em cinco minutos, o homem que esperneava, lutava e gritava que não era louco — mas sim o seu irmão, esse é que era louco —, em cinco minutos, então, ali está ele, já sem uma parte do cérebro — parte extraída que o Dr. Charcot, como é evidente, nunca mostrava à multidão —, mas ali está ele, calmo e mudo, olhando com amizade para a multidão, multidão que estava de tal forma impressionada com tudo aquilo que, nesse dia, pela primeira vez, irromperam instintivamente os aplausos, quase eufóricos.

    Que máquina notável, murmurava-se.

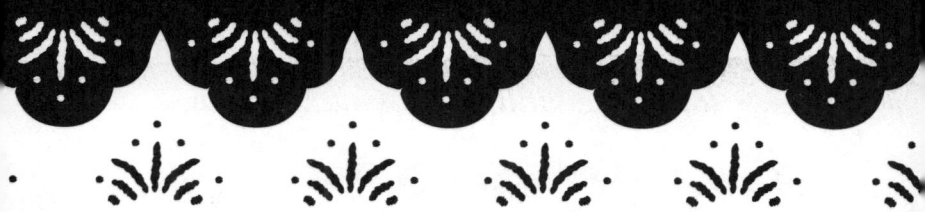

XII

1. **As máquinas também são fracas**
2. **O banquete — a ciência está com fome!**

CMecânico, o Homem-Mais-Alto, o Manicómio-dos-Mecanismos, os Imprevisíveis, a Mulher-Sem-Cabeça, Ber-lim, a Noiva, o Cão, o Filho-Mais-Velho-da-Mulher-Sem-Cabeça, o Dr. Charcot, a Mulher-Ruiva

1. As máquinas também são fracas

O Mecânico vai buscar a chave. O Homem-Mais-Alto está ao seu lado.
O Manicómio-dos-Mecanismos.
O Mecânico abre a porta e o Homem-Mais-Alto, subitamente, está diante de uma das mais perigosas aparições.
— Guardámos aqui as máquinas que avariaram sem justificação alguma. Os mecanismos que, mesmo depois de várias tentativas de reparação, não saíram do seu desarranjo.
Poderá dizer-se que estão aqui os Imprevisíveis, uma espécie maldita. Uma classe de elementos com peste. Devem estar afastados de nós, estes Imprevisíveis. Devem estar afastados, acima de tudo, dos outros mecanismos. Devem ser fechados à chave.
O Homem-Mais-Alto olha para aquele Manicómio. Há algo que o assusta naquilo. Que o aterroriza.

2. O banquete — a ciência está com fome!

O banquete está prestes a começar e a Mulher-Sem-Cabeça senta-se ao lado do louco Ber-lim.

Chega a Noiva com o Cão. O Cão é maltratado por ela; por isso, em pouco tempo, todas as pessoas presentes também maltratam o Cão.

Por vezes a Noiva diz para pararem. E eles param.

Está ali o Filho-Mais-Velho-da-Mulher-Sem-Cabeça e os outros cem heróis que resistiram à marcha.

Alguém brinca, dizendo que estão ali todos para comer carne humana.

O assunto parece divertir mas cria ansiedade.

Rapidamente na mesa se avançam nomes de possíveis pessoas a serem servidas. Uns dizem nomes de pessoas que detestam. Outros avançam com nomes de pessoas de que gostam.

Os dois argumentos são bons. Todos estão contentes.

Ber-lim está como sempre: o rosto neutro, impávido, sem expressão.

Está sentado em frente à bela Noiva que não tem noivo, apenas o Cão. Ber-lim gosta dela, quer sorrir, mas não consegue. Os músculos da face não respondem à vontade. Inexpressividade absoluta.

Por momentos, pensa que o Dr. Charcot, que está ao seu lado no banquete e que lhe permite ter todas as expressões do rosto, poderia ter trazido a sua antiga pequena máquina e os eléctrodos para conseguir fazê-lo sorrir para a Noiva.

Mas o Dr. Charcot não trouxe os velhos eléctrodos; está ali para festejar os sucessos da Praça-Central e do Lobotomobile, não para fazer experiências ou brincar. Perto dele, na mesa, os seus ajudantes.

De repente, o alvoroço termina. A Mulher-Ruiva entra na sala do banquete, mas não foi por ela que todos se calaram.

Atrás dela, uns segundos depois, entrou o Homem-Mais-Alto, grotescamente alto, o gigante, com dificuldades enormes de locomoção, as mãos descomunais, mas abatido, fraco — está a morrer, murmura-se. Os gigantes duram quanto tempo? O Dr. Charcot explica que as pessoas com aquela estatura — dois metros e trinta e cinco centímetros — não duram muito. Explica porquê, em voz baixa, ao pequeno grupo que está à sua volta.

O gigante sentou-se. É o Homem-Mais-Alto que lidera a Revolução, mas agora está doente e mais preocupado com a resistência do seu corpo do que com os outros.

Alguns têm pena de o ver assim. Era um homem forte, murmura-se. O certo é que não mais se voltou à agitação anterior. Alguns dos homens que resistiram à Caminhada-Muito-Extensa brincam grotescamente e murmuram que, se naquele banquete iam comer carne humana, aquele, sim, seria o homem certo. Tem tamanho para alimentar muitos.

De qualquer maneira, naquele momento, na mesa, todos os convidados começam a bater com os talheres nos pratos. Querem comida. Não sabem qual. Não sabem o que virá, mas estão com fome.

126

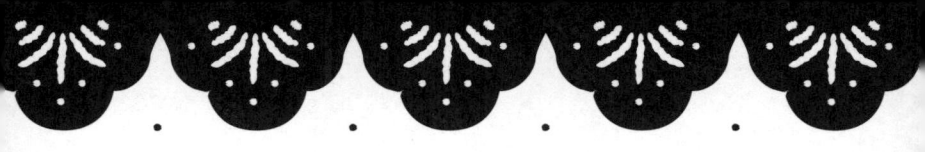

XIII

1. O Homem-do-Mau-Olhado finalmente foi preso
2. Um ritual de iniciação
3. A Noiva-do-Homem-do-Mau-Olhado espera
4. Um olho, depois o outro — é preciso mostrar a justiça
5. Um casamento — estão zangados ou contentes?
6. Nunca se deve tremer assim — já deviam saber

Chomem-do-Mau-Olhado, O-Kee-Pa, a Praça-Quase-Vermelha, os Dois-Irmãos--Que-Torturam, a Noiva-do-Homem-do--Mau-Olhado, o Cego

1. O Homem-do-Mau-Olhado finalmente foi preso

O Homem-do-Mau-Olhado foi preso.
Os juízes têm medo.
Obrigam-no, como às antigas bruxas, a estar de costas para eles.
Acusam-no enquanto ele está de costas.
Enumeram os seus crimes enquanto ele está de costas.
Pedem para ele se defender, mas ele está de costas.
— Podes falar — dizem.
— O que tens a dizer em tua defesa? — insistem.
E ele fala de costas para os juízes. Defende-se: diz que saiu da barriga da mãe já com mau-olhado. Diz-se que os recém-nascidos não fixam o olhar, mas o Homem-do-Mau-Olhado conta que a mãe morreu três dias depois de ele nascer.
Os juízes escutam-no.
Ele tem a cabeça baixa, uma corrente prende-lhe o pescoço e o tronco de modo a que os seus olhos se fixem, sem qualquer alternativa, nos próprios pés.
O que é que acontece quando o Homem-do-Mau--Olhado olha para os seus pés? O que acontece quando ele se vê ao espelho?
Os juízes estão curiosos. Querem julgar, é o seu ofício, mas a situação convida-os para outras acções.
O Homem-do-Mau-Olhado está de costas para eles.
Se o julgamento é naquelas condições, o castigo também terá de ser cuidadoso.

Se um homem é açoitado nas costas, por exemplo, poderá nunca ver quem o castiga.

Os juízes sabem que o Homem-do-Mau-Olhado deve ser tratado como um homem cuja parte da frente são as suas costas.

Para os juízes aquele é um homem que anda para trás, é um homem que fala pela nuca. É um homem que mexe as mãos do outro lado, do lado que eles não veem, que eles não querem ver.

Explica-se de costas para os juízes, pede clemência de costas para os juízes.

Os juízes proferem o veredicto e as costas do Homem-do-Mau-Olhado ouvem o veredicto concordando com a cabeça.

As costas podem então ser castigadas, mas isso nada resolverá.

Por muitos açoites que receba nas costas, o mau-olhado não será resolvido.

O problema não está ali, está do outro lado.

Os juízes murmuram entre si.

Decidem que a única maneira é arrancar os olhos ao Homem-do-Mau-Olhado. Mas quem o fará?

Há que escolher alguém.

O Homem-do-Mau-Olhado tem um olhar mau.

Quantos homens já perderam a força por causa do Homem-do-Mau-Olhado? Quantas casas foram destruídas? Quantas mulheres perderam os filhos?

E dizem ainda que, por causa dele, muitas máquinas deixaram de funcionar.

Os juízes decidem que, antes de lhe arrancarem os olhos, o Homem-do-Mau-Olhado deve ser torturado.

Percebem bem a diferença entre castigo e eliminação definitiva de um perigo.
Primeiro, o castigo. Depois, arrancar os olhos.

O castigo é forte. Mas não é apenas castigo.
Os juízes são bons, querem recuperá-lo.
O Homem-do-Mau-Olhado tem uma noiva prometida desde que nasceu.
Nunca se aproximou dela.
Os juízes ouviram esta história.
Não posso casar com ela porque não a posso olhar.

Os juízes são como padrinhos de casamento. O Homem-do-Mau-Olhado será recuperado. Sem olhos, poderá casar.

2. Um ritual de iniciação

Chama-se O-Kee-Pa. É um ritual de iniciação de uma tribo índia. Quatro dias e quatro noites sem comer, dormir ou beber.

Depois, o chefe retalhava o peito e as costas do futuro guerreiro com uma faca de serrilha e em seguida enfiava espetos de madeira através da carne ensanguentada e por detrás dos músculos. Eram então ligadas ambas as extremidades dos espetos, com correias fortes presas às traves da tenda, o que permitia içar do chão o iniciado, a cujas pernas eram ligados pesos que aumentavam a sua agonia. Depois o prisioneiro era feito girar até perder totalmente a consciência.

Os dois carrascos, dois irmãos de cara tapada, continuam a fazer girar o corpo, empurrando os pesos, até o Homem-do-Mau-Olhado perder a consciência. O corpo está içado e a pele vai resistindo em luta contra as duas forças contrárias — os ganchos que puxam para cima, os pesos que puxam para baixo.
Se o Homem-do-Mau-Olhado resistir a estas duas forças ao mesmo tempo, merece ser aceite pelos outros homens como um dos seus.
As precauções foram tomadas.
O Homem-do-Mau-Olhado tem um saco de pano que lhe cobre totalmente a cabeça. Os olhos dele estão lá no fundo, algures, tapados.

A assistência é numerosa. Querem ver se ele resiste. E querem finalmente olhar para ele.

E de facto a assistência olha, observa com toda a atenção o corpo do Homem-do-Mau-Olhado. Nunca ninguém olhara para ele mais do que uns segundos e agora uma multidão não para de olhar para esse homem que está num palco, cinco metros acima do chão.

Aquele ritual demora longas horas. O Homem-do--Mau-Olhado resiste de forma corajosa e só perde a consciência muito tempo depois do previsto.

Embora tenham tido tempo para olhar para ele, as pessoas sentem que ainda não o viram, pois não lhe conseguem ver o rosto nem os olhos. Com a cara tapada, aquele homem pode ser qualquer um.

Quem garante à multidão que aquele é mesmo o Homem-do-Mau-Olhado? Quem garante que se está a fazer justiça ao homem certo?

Quem garante que estão livres do mau-olhado?

O murmúrio terá começado algures e avançou. Um elemento da multidão comenta para outro que está ao lado, e assim a mensagem passa.

E se nos estão a enganar?

E se aquele homem içado por ganchos, puxado para baixo por pesos, e se aquele homem não é o Homem--do-Mau-Olhado?

Mas ninguém tem coragem de pedir aos dois carrascos para destaparem o rosto daquele homem que está no centro da Praça-Quase-Vermelha. Pensam: e se for mesmo ele?

Uns gritam, outros não aguentam olhar.

Os que têm a convicção de que não é ele — o Homem-do-Mau-Olhado — quem está a sofrer um castigo, mas um outro, que ali foi colocado em seu lugar, preferem, mesmo assim, não dizer nada.

Se for ele, tudo certo. Se for outro homem que ali está, mais tarde ou mais cedo saberemos.

E ninguém se mexe.

3. A Noiva-do-Homem-do-Mau-Olhado espera

Na metodologia do O-Kee-Pa, se o homem resistir a esta tortura, segue-se uma outra. Prendem-lhe os pulsos com uma corda que o fixa a uma estaca de madeira e ele é obrigado a correr em círculos, exactamente como se faz a um cavalo que se quer domar. É obrigado a correr em círculos até cair exausto.

Está domado, sem consciência, com feridas por todo o corpo. E a sua cabeça continua coberta por um saco preto.
O Homem-do-Mau-Olhado resistiu.
Lentamente, recupera os sentidos.
Os Dois-Irmãos-Que-Torturam, mantendo também eles a cara tapada, tratam-lhe agora das feridas. É o momento de o fazer voltar ao mundo normal.
Pode demorar dias. Vai demorar dias.
Sempre com os olhos vendados, o Homem-do--Mau-Olhado recupera.
Na cidade, os juízes discutem quem será o escolhido.
Quem lhe arrancará os olhos.
A Noiva-do-Homem-do-Mau-Olhado já sabe que ele resistiu ao O-Kee-Pa, e está à espera.

4. Um olho, depois o outro — é preciso mostrar a justiça

Primeiro, o olho direito. Depois, o olho esquerdo.
O Homem-do-Mau-Olhado é agora Cego.
É quem lhe arrancou os olhos que o conduz.
Leva-o a pé, pela cidade, como a qualquer outro cego.
A diferença é que há uma multidão na rua.
Homens, mulheres, crianças, querem ver o percurso do Homem-do-Mau-Olhado a quem arrancaram os olhos.
Aquele percurso era evitável, ele é conduzido pelo caminho mais longo.
Não vai directamente à casa da Noiva, como combinado.
Na verdade, é conduzido por todas as ruas da cidade. É exibido sem o saber.

Todos vêm à janela.
As velhas, os velhos. As crianças.
Há uma mulher que subitamente o insulta. Acusa-o de ter tornado o marido impotente.
O Cego ouve, levanta a cabeça, esboça uma resposta, mas nada diz.
Quem o conduz, recomenda-lhe:
— Por favor, não responda.
Há uma outra mulher, com movimentos descontrolados, que se aproxima e tenta cuspir na cara do Ho-

mem-do-Mau-Olhado que é agora Cego. Quem o conduz afasta-a e depois grita. Impõe a ordem.

Todos têm respeito por quem lhe arrancou os olhos. O respeito que se tem por alguém doente, por alguém moribundo.

Todos estão satisfeitos com o castigo. O castigo repôs a justiça.

5. Um casamento — estão zangados ou contentes?

O Cego é agora conduzido à casa da sua Noiva. Ela guardou-se para o homem a quem foi prometida quando nasceu. É uma mulher surpreendentemente bela.

O Cego levanta a cabeça em direcção à mulher. Os dois são deixados a sós.

A mulher, vestida de noiva, reprime a vontade de chorar.

As duas órbitas vazias tentam olhar para ela, procurando imitar o que os homens fazem com os olhos.

A noite cai e a Noiva conduz o Cego até à sua cama.

A Noiva não receia que os filhos nasçam com mau-olhado. Receia, sim, a multidão que, lá fora, em redor da casa, não para de se manifestar de uma forma que ela não consegue compreender.

Há um som de tambor que não cessa. Há danças e gritos.

Que sabe a Noiva dos homens da sua cidade? Estão zangados ou contentes?

6. Nunca se deve tremer assim — já deviam saber

O Cego entra no tribunal para agradecer aos juízes. Mostra os seus três filhos. Três belos filhos.

No meio das brincadeiras, os filhos olham para os juízes.

Os juízes, esses, tremem; tremem muito, tremem demasiado.

Todas as manhãs somos informados sobre o que de novo acontece à superfície da Terra. E no entanto somos cada vez mais pobres de histórias de espanto. Isso deve-se ao facto de nenhum acontecimento chegar até nós sem estar já impregnado de uma série de explicações.

Walter Benjamin

COLEÇÃO GIRA

A língua portuguesa não é uma pátria, é um universo que guarda as mais variadas expressões. E foi para reunir esses modos de usar e criar através do português que surgiu a Coleção Gira, dedicada às escritas contemporâneas em nosso idioma em terras não brasileiras.

CURADORIA DE REGINALDO PUJOL FILHO

1. *Morreste-me*, de José Luís Peixoto
2. *Short movies*, de Gonçalo M. Tavares
3. *Animalescos*, de Gonçalo M. Tavares
4. *Índice médio de felicidade*, de David Machado
5. *O torcicologologista, Excelência*, de Gonçalo M. Tavares
6. *A criança em ruínas*, de José Luís Peixoto
7. *A coleção privada de Acácio Nobre*, de Patrícia Portela
8. *Maria dos Canos Serrados*, de Ricardo Adolfo
9. *Não se pode morar nos olhos de um gato*, de Ana Margarida de Carvalho
10. *O alegre canto da perdiz*, de Paulina Chiziane
11. *Nenhum olhar*, de José Luís Peixoto
12. *A Mulher-Sem-Cabeça e o Homem-do-Mau-Olhado*, de Gonçalo M. Tavares
13. *Cinco meninos, cinco ratos*, de Gonçalo M. Tavares
14. *Dias úteis*, de Patrícia Portela

LIVRARIA DUBLINENSE

A LOJA OFICIAL DA DUBLINENSE,
NÃO EDITORA E TERCEIRO SELO

livraria.dublinense.com.br